On the Way to a Smile

FINAL FANTASY VII

NOJIMA KAZUSHIGE

On the Way to a Smile

FINAL FANTASY® VII

NOJIMA KAZUSHIGE

C O N T E N T S

On the Way to a Smile

EPISODE:DENZEL

FINAL FANTASY VII

ミッドガルにはふたつの風景があった。支柱によって地上から高く持ち上げられ、プレートと呼ばれる鋼鉄の大地に整備された上層都市。プレートのせいで日の当たらない地面に無秩序に、しかし力強く息づいているスラム。神羅《しんら》カンパニーという一企業が作り上げた、この繁栄の光と影は永遠の風景だと思われていた。

四年前、ライフストリームが地中から溢《あふ》れ出した時、多くの住民はミッドガルが崩れ落ちると信じた。身の回りのものだけを手に街から逃げ出したものの、人々はこの鋼鉄の都市から離れることができなかった。その勇姿が近くにあればもう一度繁栄の夢を見ることができると考えたのかもしれない。やがてミッドガルに寄りそうようにエッジと呼ばれる街ができた。

エッジの大通りは、ミッドガルの参番街と四番街の境界を起点にして、東にまっすぐ伸びている。遠目には立派な街だったが、建物のほとんどはミッドガルから運び出した廃材で作られていた。街は鉄とサビの匂《にお》いがした。

今時滅多《めった》に見られないリーゼントスタイルが印象的な青年、ジョニーは大通り沿いでカフェを営んでいる。空き地にテーブルと椅子《いす》、簡単な調理ができる屋台を置いただけの店だった。店名はジョニーズ・ヘブン。かつてミッドガルの七番街スラムにあったダイナー「セブンス・ヘブン」にあやかった名前だ。その店の看板娘だったティファにジョニーは恋をしていた。

七番街落下事件で店が無くなった後、しばらくしてから、ティファは新しいセブンス・ヘブンをエッジに再開させた。当時、進むべき道を決めかねている人々の群にいたジョニーはティファの力強い生き方に感動した。かつての片思いの相手が、いつしか尊敬すべき心の師になっていた。おれもティファのように生きてやろう。さて、どうやって？　そうだ、おれも店を持とう。迷っている奴《やつ》らに希望を。これがジョニーズ・ヘブンの始まりだった。この店に来た客は「生まれ変わったジョニーの物語」を何度も聞かされることになっていた。

その結果、ティファをひと目見たいと考えた客たちが新セブンス・ヘブンを訪ね、そのまま常連になった。そうとは知らずにジョニーは週に六日、愛と希望の物語の聞き手が現れるのを待っている。

客が来た。まだ子供だった。お子様がひとりとは珍しいな。おっと、デンゼルじゃねえか。ジョニーにとってデンゼルは特別な少年だった。心の師ティファの家族。思いっきりサービスしてやるぜ。

「いらっしゃいませ、デンゼル様」

深々と頭を下げるジョニー。しかしデンゼルは視線を一瞬向けただけで屋台から最も遠いテーブルについた。

「もっとこっち来いよ」

「やだよ。人と会うんだから」

人と会う？　子供のくせにデートかよ。まあいい。お兄さんが見守ってやる。全部サービス。おまえは特別だ。

「デートなんだろ？　がんばれよな」

「コーヒー」

無視？　そうか、照れてるのか。

「会話に詰まったらおれを呼べ。おもしろトークのネタを教えてやる。なんなら今——」

デンゼルが突然立ち上がった。怒ったのか？　ジョニーはデンゼルを見つめたが、少年の視線は店の入り口に向けられていた。

地味なスーツを着た、面長の男が立っていた。

「いらっしゃいませ」ジョニーは男から目をそらしながら挨拶《あいさつ》をした。リーブ。元神羅カンパニーの幹部。今はＷＲＯを率いるその男を間近で見るのは初めてだった。死の匂いをプンプン漂わせているという評判だ。そんな奴がおれの店に何の用だ？

リーブはそれがくせなのか、警戒するように周囲を見回しながら歩き、デンゼルのテーブルにやって来て席についた。ジョニーはすぐに思い当たった。これはＷＲＯのスカウトだ。リーブがデンゼルを軍隊に誘おうとしている。なんとしても止めないと。おれの店でそんなことが決まったらティファに合わせる顔がない。決意を胸にリーブを睨《にら》み付けると穏やかな笑顔が返ってきた。

「コーヒーをもらおうか」なんという貫禄《かんろく》。

「はい、了解です」

ジョニーは直立不動で応《こた》えてから、小走りで屋台へ戻った。手ごわい相手だぜ。

デンゼルは自分の面接にＷＲＯのトップであるリーブが来たことに驚き、挨拶もできずに突っ立っていた。

「すわりなさい」

その声で我に返り、あわてて腰をおろした。

「さて、デンゼル。あまり時間がないからさっそく本題に入ろう」

リーブは淡々とした口調で話し始めた。

「断っておくけど、我々は以前とはちがうんだ。志望者は誰でも歓迎していた時期は過ぎてしまった。復興ボランティアになりたいなら地区のリーダーに連絡しなさい。ＷＲＯは今や軍隊だ」

「はい。危険は覚悟しています」

「覚悟ね。よし、聞かせてもらおうか。まずはきみの経歴だ」

「経歴ですか？　おれ、いや、ぼくはまだ十歳ですから――」

「わかっているよ。でも、十歳なりの経歴があるだろ？」

＊　＊

デンゼルは神羅カンパニーの第三業務部で働く仕事熱心なエーベルと、家事が上手くて社交的なクロエとの間に生まれたひとり息子だった。三人はミッドガルの七番街プレートにある神羅カンパニーの社宅エリアに住んでいた。エーベルは地方の貧しい村で生まれ育った自分がミッドガルの上層で家庭を持てたことに満足していた。しかし、人生にはつねに目標が必要だと考えていたので、新しい目標を伍番街の幹部用社宅エリアに住むことに設定していた。デンゼルがまもなく七歳になるというある日、エーベルは部長に昇進した。それは伍番街の社宅に住む資格を得たことを意味した。報告を受けたクロエとデンゼルは手分けをしてパーティーの準備をした。豪華な料理と子供らしい発想の飾りつけが一家のあるじを迎えた。楽しい夕食だった。デンゼルは上機嫌の父親が冗談を交えながら自分の人生について語るのを聞いた。

「デンゼル。父さんの子に生まれてよかったな。もしスラムに生まれていたら鳥肉の代わりにネズミを食べなくちゃならない」

「鳥肉がないの？」

「あるけどみんな貧乏だから買えない。仕方がないからヤリでネズミを捕まえるんだ。汚い灰色のネズミだ」

「うえっ、まずそう」

「味は——どうなんだ？」

エーベルはクロエにウィンクをしながら言った。

「どう？　デンゼル」

クロエはデンゼルの皿を指差して質問した。デンゼルは不安になって両親の顔と自分の皿を見くらべた。父親は笑いをこらえて下を向いていた。デンゼルは母親の口ぐせを思い出した。笑いのない人生に意味はない。二人はまたぼくを驚かそうとしている。

「父さんも母さんも信じないからな！」

＊　　＊

「困った親たちだな」

「冗談が好きなだけです。ぼくもからかわれるのはいやじゃなかったし」

「言っておくが、わたしが知る限りスラムでもさすがにネズミは食べなかったぞ。食用ならともかく当時のスラムのネズミは――」

「知ってます。よく知ってます」

「ほう。何かあったのか?」

「――長い話なんです」

＊　＊

デンゼルが留守番をしていると電話が鳴った。エーベルだった。

「母さんは?」怒ったような口調だった。

「買い物に行ってるよ」

「帰ってきたらすぐに電話をくれと伝えるんだ。いや、こっちからする」

父親が何か問題を抱えているのがわかって不安になった。何も手につかなかったのでテレビを見ながら母親の帰りを待った。画面には先日、アバランチと名乗るグループに爆破された壱番魔晄《まこう》炉が映し出されていた。このせいで父さんは忙しいんだ。だからイライラしてるんだ。ぼくや母さんのせいじゃない。

一時間ほどして帰ってきたのは母親ではなくエーベル自身だった。

「母さんは?」

「まだ帰ってこない」

「探しに行くぞ」

エーベルは言い終わらないうちに家を出て行った。デンゼルはあわてて追いかけた。商店街へ行くとクロエはすぐに見つかった。肉屋の店主と楽しそうに話していた。ここで待てと言い残し、エーベルは肉屋へ近づいて行った。声もかけずに妻の手首を掴《つか》むと引きずるようにして戻ってきた。

母親が抗議する声を聞いたとき、デンゼルは心臓がドクンと鳴るのを感じた。

「手をはなして！　どういうことなの？」

エーベルは周囲を見回してから声をひそめて言った。

「七番街が破壊される。だから急いで伍番街まで避難するんだ。新しい社宅がある」

「破壊？」

「壱番魔晄炉を爆破したやつらが次は七番街を狙《ねら》ってる」

デンゼルは両親の顔を観察した。笑いをこらえている様子はなかった。

「本当なの？」

左右の手で両親の手を握って言った。

「ねえ、早く行こうよ」

しかし、二人は動こうとしない。

「わたしたちだけ逃げるわけにはいかないわ。ご近所や友達にも知らせなくちゃ」

「時間がないんだ、クロエ。それにこの情報は社の重要機密だ。ぼくはルールを破っている。部長になったというのにね」

母親は苛立《いらだ》たしげに首を振ってからデンゼルに言った。

「お父さんと一緒に行って。すぐに追いかけるからね。大丈夫」

デンゼルの手を強く握りしめてから離し、走り出した。

「おい！」エーベルは妻を数歩追ったが、すぐに立ち止まった。デンゼルは父親の苦しそうな顔を見て胸がいっぱいになった。母さんを追いかけたいけど、ぼくが足手まといなんだ。

「デンゼル、伍番街へ行こう」

「やだ！　追いかけようよ」

「母さんは大丈夫。我が家の良心なんだから」


七番街と六番街の境界を、若い男が重そうなスーツケースを引きずって歩いていた。急いで家を出てきたらしく、ネクタイは緩んだままで、ジャケットのボタンをしめるのも忘れているようだった。整った顔を歪《ゆが》めて、なりふり構わず、一目散にどこかへ行こうとしている。

「アーカムくん」

その男にエーベルが声をかけた。自分を呼ぶ相手に気づいたアーカムは、あわてて走り寄って来た。

「部長、まだこんなところにいたんですか。タークスがもう動いてますよ。今頃は爆弾を仕掛け終わる頃です。おれの同期が車両の手配したみたいですから」

デンゼルは幼い頃から父親に聞かされていたおかげで神羅カンパニーの組織にはくわしかった。汚れ仕事は全部タークスがやるんだ。

そのタークスが爆弾を仕掛けるというのはどういう意味だろう。タークスがアバランチなんだろうか。大人同士の会話の意味を探ろうと、うつむいていたデンゼルは、父親の視線を感じて顔を上げた。

「この子を伍番街まで連れていってくれないか。悪いようにはしない」

エーベルは息子を見たまま言った。

「やだ!」デンゼルは叫んだ。

「父さんは母さんを連れてくる。おまえはこのアーカムさんと行きなさい」

「いっしょに行く」

「いいかな、アーカムくん」

「もちろんです、部長」

「伍番街、社宅エリアの三八番だ。これは鍵。息子に渡しておく」

そう言いながらエーベルは、スーツの内ポケットから出した鍵をデンゼルに無理矢理にぎらせた。

「父さん——」

「新しい大きなテレビを買っておいた。それを見て待っていなさい」

デンゼルの頭を乱暴に撫《な》でた後、アーカムの方に軽く押すと、エーベルは七番街の方へ走り出した。バランスをくずしたデンゼルの背中をアーカムが支えた。

「さあ、行こう。おれはアーカム。お父さんの部下だ。よろしくな」

デンゼルは走り出そうとからだをよじったがアーカムに止められた。

「気持ちはわかる。でもきみのお父さんに言われたら、おれは逆らえないよ。とにかく一度伍番街へ行こう。後はどうしようときみの勝手だ。な？」

同じような家が立ち並ぶ社宅エリアの新しい家の中には、テレビの大きな箱以外は何もなかった。アーカムが箱からテレビを出し、ケーブルを繋《つな》いで映るようにした。

二人でニュースを見た。爆発する壱番魔晄炉の映像がまた流されていた。デンゼルはアーカムが早く出て行かないかと考えていた。

「おなかが空きました」

「よし、おれが何か買ってきてやる」

その時、家全体が揺れた。どこからかミシリという音が聞こえてきた。アーカムがドアを開くと外から金属がこすれ合う悲鳴のような音が聞こえてきた。

「ここで待ってろよ」と言い残し、アーカムは出ていった。デンゼルが続こうとしたときにテレビの中の声が言った。

「臨時ニュースです」

崩れ落ちる街の様子が映し出された。それが数時間前まで自分たちがいた七番街だとわかるのに少し時間がかかった。場面が切り替わると「現在の七番街の様子です」とアナウンサーが言った。何もなかった。七番街は無くなっていた。デンゼルは家を飛び出した。

街は混乱していた。次は伍番街だと叫びながら逃げ惑う人々の間をぬって走った。やがて、息を切らせて六番街の端まで辿《たど》り着いた。兵士たちが防護柵《さく》を作っている。急ごしらえの柵に近づいて七番街を見ようとした。まるで最初からこうだったというように何もなかった。目を凝らすと遠くに八番街が見えた。七番街プレートとの接続部分が姿を見せていた。

「おい、危ないぞ」兵士が声をかけてきた。

「うちはどこだ？」

デンゼルは何もない空間を指差した。

「そうか──残念だったな」

「両親は？」

もう一度、かつて七番街だった空間を指差した。兵士は大きく溜息《ためいき》をついて、

「アバランチの仕業だ。忘れるんじゃないぞ。大きくなったら復讐《ふくしゅう》してやれ」と力づけるように言った。

「さあ、行くんだ」兵士はデンゼルの身体を六番街の方に向かせて背中をポンと押した。

デンゼルは放心状態で歩き出した。周囲の野次馬《やじうま》や避難する人々の声が頭の中を素通りしていった。次はどこだ？　父さん！　ここはだいじょうぶなのか？　母さん！　アバランチめ、許さねえぞ！　神羅は何をやってるんだ！　父さん！　母さん、どこ？

情けない子供の声だけが消えなかった。それが自分の声だと気づいたらもう歩けなかった。涙が溢れ出してきた。

＊　　＊

「神羅がやったんですか？」

「ああ」

リーブは視線をはずしていた。どんな感情も見せてはいけないと心に決めているようだった。

「憎ければ、わたしを好きにしてもいいぞ」

デンゼルは首を振った。

＊　＊

翌日、目が覚めると伍番街の新しい家だった。昨日はなかったはずのマットレスがあり、デンゼルはその上で眠っていた。枕元《まくらもと》にメモと菓子パンが一個置いてあった。

「ぼくはかいしゃにいる。ときどきようすをみにくる。それからあまりとおくへはいくな。みんないらいらしているからきけんだ。なにより、さがすのはたいへんだし、きみはけっこうおもい。ついしん。マットレスはとなりの家からかりたので返しておくように　アーカム」

七番街が落ちて行く映像がテレビから何度も流された。ミッドガルはもう安全だという神羅カンパニーの告知も何度も聞いた。自分の両親は死んだかもしれないというのに、もう安全だと言われても納得できなかった。安全だから、みんな幸せに暮らせるのかな。その中にぼくは入れてもらえるのかな。デンゼルはパンを食べようとした。口に入れる直前に、パンがつぶれていて中のクリームがはみ出していることに気づいた。腹が立った。そのパンを力いっぱいテレビに投げつけると家を飛び出した。

静かだった。ミッドガルの中心にそびえる神羅ビルが見えた。父さんは生きていて、母さんと一緒に会社に行っているのかもしれない。こんな時だから忙しくて外に出られないんだ。このあたりは神羅の社宅だから、父さんの知り合いがいるかもしれない。知らない大人と話すのは苦手だけど、がんばって聞いてみよう。

まず右隣の家へ行って呼び鈴を鳴らした。返事はなかった。試しにドアを開けてみた。

鍵はかかっていなかったので中へ顔だけ入れて言った。

「こんにちは」少し待ったがやはり返事はなかった。アーカムはこの家からマットレスを借りたようだ。勝手に借りるなんて泥棒じゃないかと思った。

左隣。向かいの家。裏の家。みんな留守だった。少し遠くの家の様子も見に行った。ほとんどの家の扉には、一時的に避難することと、その連絡先を書いた紙がはってあった。

誰もいない。両親が会社にいるなんてこともありえない。いたら絶対にここへ来るはずだから。父さんは無理でも母さんは来るはず。

希望を抱いたり打ち消したりしながら歩いているうちに、すっかり道に迷っていることに気づいた。どこをどう歩いたのか覚えていなかった。涙が流れた。悲しいというよりは腹が立っていた。

立ち止まり、道路に座り込んだ。尻《しり》の下に硬いものが当たった。神羅の飛空艇の小さな模型だった。どこかの子が落としたんだろう。

デンゼルはそれを拾い上げると思い切り投げた。

「みんなキライだ！」

ガラスが割れる音が住宅街に響いた。続いて女の声が聞こえた。

「誰や！　こんなことするのは！」

事態を呑《の》み込めずにいるあいだに正面の家から老婆が出てきた。実際は老婆という歳ではなかったが、デンゼルは女性の年齢など見当がつかなかった。

「あんたがやったのかい！」

日に焼けた、面長の顔に怒りの表情を浮かべて、老婆は飛空艇の模型をデンゼルに突きつけた。デンゼルは正直にうなずいた。

「どうして――」老婆は途中で言いよどんだ。「泣いてるのかい?」

デンゼルは首を振って否定したが、涙は隠せなかった。

「うちはどこ?」

何も応えられない自分に腹が立って、ますます涙が出てきた。

「とにかく中に入りなさい」


ルヴィの家の中は、デンゼルの家とはまた違った居心地の良さがあった。小さな花柄の壁紙や同じような柄のカバーで覆われたクッションとソファがあった。飾られているのは造花だったが、暖かさ、穏やかさが感じられる部屋だった。デンゼルはソファに腰掛けてルヴィを見ていた。ルヴィは割れた窓ガラスをビニールの袋でふさごうと格闘していた。

「息子が帰って来たらキチンと直させるからね。今はこんなもんでいいだろう」

「ルヴィさん、ごめんなさい」

「こんな時でなかったら、あんたの首根っこつかんで、親のところへ怒鳴り込んでやるんだけどね」

「父さんと母さんは――」

「まさか、あんたを置いて逃げたわけじゃないだろう?」

「七番街にいたんです」

窓の補修を中断したルヴィはソファに腰をおろし、デンゼルを抱きしめた。

デンゼルが落ち着くと、ルヴィは外へ行こうと言った。

「あんたの家を探そうじゃないか」

二人は手をつないで歩いた。デンゼルは六歳になった時から両親と手をつないで歩くのをやめていた。カッコ悪いからだ。しかし今は絶対に離したくないと思っていた。

住民たちのうち、神羅の社員は本社に泊まりこんで事態の収拾にあたり、家族はジュノンやらコスタ・デル・ソルへ避難してしまったらしかった。ルヴィは、どこへ行ってもひとりなら、自分の家が一番いいと残った理由を言った。やがて二人はデンゼルの家を見つけた。

「ありがとうございました。それから窓ガラス——ごめんなさい」

ルヴィは黙ってうなずいた。デンゼルが家に入ろうとすると、ドアのところまでやって来て中を覗《のぞ》き込んだ。

「あんた、こんな何もない家でどうするつもりだい。うちに来なさい。いいね」


デンゼルはルヴィと暮らすことになった。

ルヴィは壱番魔晄炉が爆破された時から、これは大変なことになると考えて食料をたくさん買い込んでいた。裏庭に物置があり、その中は缶詰などの保存食でいっぱいだった。

「備えあれば憂いなしって言うだろ?」

ルヴィの一日は忙しかった。家の中の掃除、周囲の掃除、食事の用意、裁縫。デンゼルは、裁縫以外はすべて手伝った。眠る前には本を読んだ。ルヴィは厚くて難しそうな本を読んでいた。面白いのかと聞くと、ちっとも、と応えた。息子の本だと言った。これを読めば息子の仕事がわかるかもしれないと、五年以上読み続けているが、眠るために読んでいるようなものだと笑った。

ルヴィは役に立つから読みなさいとモンスター図鑑を貸してくれた。その本もやはり息子のもので、デンゼルの歳くらいに読んでいたらしい。モンスターのカラーイラストと説明がのっていた。どのページにも同じことが書いてあった。モンスターと出会ったらすぐに逃げましょう。そして大人に知らせましょう。もし――もし今、モンスターと出会ったら、ルヴィさんに知らせればいいのかな。でもルヴィさんは戦えなさそうだ。ぼくが戦うことになるんだろうか。できるだろうか。勝てるだろうか。たぶん、無理だ。

自分は何の役にも立たない。だから両親は、ぼくを置いて行ってしまった、と思った。

＊　　＊

日差しが強くなり、デンゼルは汗をかいていた。

「まったく――暑いな。水をくれないかな」

リーブはジョニーに言った。デンゼルは汗を拭《ふ》こうとハンカチを取り出した。

「ずいぶんかわいい柄だな。女の子みたいだ」

「そうですね」デンゼルはハンカチを見つめた。

＊　　＊

ある朝、目覚めるとルヴィが襟付きのシャツを見せながら言った。

「これを着なさい。あんたに作ったんだけどそんな柄の布しかなくてね」

白地にピンクの小さな花をたくさんちりばめた模様の、普段なら絶対に拒否するシャツだったがデンゼルは喜んで着替えた。

「これは布が余ったから作ったんだ。持ってなさい」

ルビィが差し出したのはシャツと同じ模様のハンカチだった。ずいぶんたくさん布が余ったらしく、ハンカチは何枚もあった。デンゼルは一枚だけ受け取ると折り畳んで尻ポケットに入れた。

「それから――」ルヴィの顔から笑みが消えた。「なんて言ったらいいんだろうね」

デンゼルは何を言われるのかと身構えた。一番言われたくない言葉が思い浮かんだ。出ていけ。緊張で身体が震えるのがわかった。

「外へ行こうか」

ルヴィは勝手口から裏庭へ出ていった。デンゼルはためらったが、やがてあとに続いた。分厚く敷き詰められた土を踏みしめてルヴィの横に立った。ルヴィは空を見上げて立っていた。

デンゼルも空を見た。空に黒い穴があいたようだった。とても不吉な風景だった。昼間の空にあるのは青と白。それ以外は、憂鬱《ゆううつ》か不安の種に違いなかった。

「わたしも何も知らないんだけどね。メテオって言うらしいよ。あれがこの星と衝突して何もかも終わりになっちゃうんだってさ」

ルヴィは物置から缶詰を二個取り出してデンゼルに渡した。

「あんなものにどうやって備えろってんだろうね、まったく」

ルヴィはその日、掃除も縫い物も何もしなかった。ずっとソファで考え事をしていた。

そうかと思うと何度も続けてどこかへ電話をかけた。相手は出なかったようだった。たぶん息子さんにかけたんだろうと思いながら、デンゼルは家の中と外の掃除をした。メテオが衝突した時のことがうまく想像できなかった。それよりもデンゼルには聞きたいことがあった。しかし切り出せずにいた。日が暮れたころ、ルヴィは夢の国から現実に帰って来たとでもいうように、掃除を始めた。デンゼル、あんたのやり方じゃ全然ダメだよ。いったい今まで何を見ていたんだい。それはいつものルヴィだった。

夜、二人で並んでソファに座っていつもの本を読んだ。本に目を向けたままルヴィは言った。

「デンゼル。わたしはここで最後の時を待つつもりだ。星が壊れるってんなら、どこにいたって同じだからね。あんたはどうする？　どこかへ行くってんなら、家中の食べ物を持っていってもかまわないよ。あんたはまだまだ子供だけど、最後の場所は自分で決めるのがいいと思うんだ」

デンゼルはルヴィが言ったことについてよく考えた。そして昼間からずっと聞きたかった質問をした。

「ぼく、ここにいてもいいですか？」

ルヴィは本から顔を上げるとデンゼルを見て微笑《ほほえ》んだ。

それからルヴィはいつもの通りにすごした。ただ、外の掃除だけはしなかった。家の周囲の掃除はデンゼルの仕事になった。

八番街で工事が始まったのが見えた。あっという間に鉄の塔が組み上がって、それは神羅ビルと同じくらいの高さになった。やがて一番上に巨大な大砲が設置された。デンゼルは、神羅カンパニーがメテオを退治してくれるんだ、とルヴィに報告した。

「そうかい。うまくいくといいねえ。でも、あの会社はいつも何か間違えてしまうんだ」ルヴィは悲しそうに言った。

結局その大砲はどこかに向かって一度撃っただけで壊れてしまった。そればかりか神羅ビルが攻撃を受けて、上の方が破壊されてしまった。いったいどんなモンスターがいるのかとデンゼルは考えた。ビルを破壊するほどのモンスターなど想像もつかなかったがルヴィに聞くのはやめておいた。空には相変わらずメテオがあった。他の地域では大騒ぎだったがデンゼルの日常は穏やかだった。

両親に会いたい思いがおさえられず、声を出して泣いてしまうこともあったが、ルヴィに抱きしめられると落ち着くことができた。ルヴィと一緒に眠っているあいだに最後の時が来るなら、それでもかまわないと思った。


デンゼルの平和を奪ったのはメテオではなく怒れる白い奔流だった。星が放ったライフストリームは結果としてメテオを破壊した善なる力ではあったが、その濃密な生命のエネルギーは人間にも破壊をもたらした。

運命の日。デンゼルとルヴィはベッドに入って眠ろうとしていた。外で強い風が吹く音がした。しかしそれは風にしては大きな音だった。やがて家全体がガタガタと揺れ始めた。

最後の時が来たんだ。すぐに終わればいいのにとデンゼルは思ったが、時間がたつにつれて揺れはさらに激しくなった。音は静まるどころかまるで列車が家の横を通り過ぎているような轟音《ごうおん》に変わっていた。ルヴィに抱きしめられ、目を閉じて耐えていたデンゼルだったが、五分が限界だった。

「ルヴィさん、怖いよ」

ルヴィが起き出して明かりをつけようとしたのと同時に、閉じた花柄のカーテンが真っ白になった。家全体が光に包まれたようだった。

「毛布を被《かぶ》っていなさい」

ルヴィはデンゼルに言いつけると寝室を出ていった。家の振動が激しくなり、タンスの上に置いてあった造花が床に落ちた。デンゼルはベッドから飛び出してルヴィを追った。

ルヴィは居間の窓を見つめていた。ビニールで簡単にふさいであるだけの、デンゼルが割った窓だ。そのビニールが今にも裂けそうにふくらんでいた。ルヴィは窓に駆け寄ってビニールを両手で押さえた。

「デンゼル、戻りなさい！」

デンゼルは震えていた。足の裏が床に貼《は》りついたように動けなかった。あのガラスを割ったのはぼくだ。きっとぼくのせいでとても良くないことがおこるんだ。ルヴィが窓から離れて足早に近づいてきた。抱きつこうとしたデンゼルは乱暴に寝室に押し戻された。その瞬間、窓のビニールが裂けて眩《まぶ》しい光の束が家の中に流れ込んできた。悲鳴をあげる直前にルヴィがドアを閉じた。

「ルヴィさん！」デンゼルはノブを引いてドアを開けようとした。

「デンゼル、やめなさい！」

「でも！」デンゼルはまたノブを引いた。

ルヴィが背を向けて立っていた。足を開き、両手をドアの枠に伸ばして突っ張っている。

「閉めなさい！」

ルヴィの体ごしに、何本かの束になった光が壁に衝突して反射するのが見えた。まるで体が光る蛇のように部屋の中で暴れていた。

モンスター図鑑には載っていないやつだと思った。逃げて、大人に知らせないといけない。いや、この家ではぼくが戦わなくちゃならない。

「ルヴィさん！」そう叫んだ時、光がルヴィを直撃した。短い呻《うめ》き声が聞こえた。光は細いロープのように姿を変え、ルヴィと壁の間の隙間《すきま》から勢いよく寝室に入り込んできた。

ルヴィがその場に崩れるように倒れたのとデンゼルが光に突き飛ばされて気を失ったのはほとんど同時だった。

＊　＊

「どれくらい倒れていたのかわかりません。気がついたら家の中はメチャクチャでした。ルヴィさんが倒れていました。名前を呼んだら少し目を開いて、無事で良かったと小さな声で言ったんです。それから手を握らせてと言いました。ぼくは手を出しました。ルヴィさんは握ったけど全然力がありませんでした。息子の手は大きくなりすぎてもう握れないんだって言いました。ぼくは子供で良かったと思いました。それから外の様子はどうなっているのかって聞かれました。心配だったけど外に出ました。朝でした。あたりは家の中と同じくらいメチャクチャになっていました」

デンゼルはうつむいて話し続け、リーブは目を閉じて聞いていた。

＊　＊

外に出たデンゼルは振り返ってルヴィの家を見た。ガラスをなくした窓が見えた。ぐるりと見回すと他の家の窓も割れていた。屋根がなくなった家、壁に穴があいている家もあった。結局、同じことだったんだ。ぼくが割らなくても同じだったんだと考えた。しかし、そんなことを考えた自分に腹が立ってきた。ルヴィさんはぼくを守ろうとしてひどい目にあったのにぼくは関係ないふりをしようとしている。

家の中に戻るとルヴィは眠っているように見えた。穏やかな顔をしていた。不安になったので肩をゆすってみた。

「ルヴィさん」

しかし目をさます気配はなかった。

「ルヴィさん！」今度は強くゆすってみた。

ルヴィの口の端から黒い液体が一筋流れ出た。それが死のしるしのように思えてあわてて拭き取った。髪の毛の中からも黒いものが流れ出てきた。気持ち悪かった。デンゼルは恐怖にかられて家を飛び出した。

「父さん！　母さん！　助けて！」大きな声で叫んだ。続けて、知っている限りの名前を全部呼んだ。あとは泣くしかなかった。

「おい、泣くな」

誰かが大きな手でデンゼルの頭を乱暴につかんで上を向かせた。黒々とした口髭《くちひげ》を生やした大男が立っていた。男の後ろには小型のトラックが止まっていて、荷台には十人くらいの男女がいた。

「どうしてここにいるんだ？　スラムに避難するようにテレビで言ってたろうが」

きちんと答えないとひどく叱《しか》られそうな気がした。

「テレビは見てませんでした」

デンゼルはしゃくりあげながら言った。

「まったくよ！　知らなかったとか、大丈夫だと思ったとか、そんな奴らばっかりだぜ！」

トラックの男女が決まり悪そうな顔をした。

「で、家族は？」

「ルヴィさんが中にいます」

＊　＊

「ガスキンという人でした。ルヴィさんを裏庭に埋めてくれました。トラックの人たちも手伝ってくれました。息子さんの本と裁縫道具を一緒に埋めました。裏庭に厚く土が入れてあったのでみんなは不思議がっていました。普通はすぐにプレートに当たっちゃうって」

「野菜でも育てるつもりだったのかな。田舎から来たお年寄りは、よくそういうことをするからね」

「――花だと思います」

デンゼルは花柄のハンカチを見ながら答えた。

「家の中は花の模様でいっぱいだったし造花もたくさんありました。でも本当は、本物の花が欲しかったんだと思います。息子さんが神羅の社員だからミッドガルに住んでいたけど、本当はちゃんとした土があって花が育つような――ごめんなさい。話がそれちゃいました」

リーブはうなずきながら聞いていた。

＊　＊

デンゼルたちを乗せたトラックはやがてスラム行きの列車が出る駅に止まった。ガスキンが言った。

「列車は走っていない。復旧の見込みはまったくない。でも、線路は幸運にも地上まで繋がったままだ。歩けば地上に降りられる」

「ミッドガルは危険なのか？」誰かが聞いた。

「そりゃ、わからないね。でも、とりあえず降りた方が安心だろ？」

続けてデンゼルに言った。

「足、滑らすなよ。みんな余裕ねえからな。自分でなんとかするしかねえぞ」

そしてトラックをUターンさせると走り去っていった。駅には大勢の人々が集まっていた。白い光はミッドガル全体に影響を与えていた。家を壊された人々、街が倒れるかもしれないと考えた人々が逃げてきていた。しかし、線路を歩いて地上まで行くことをためらう人々も多かった。メテオが消えたことを喜ぶ声は聞こえず、代わりに、徹底されなかった避難勧告に対する不満が叫ばれていた。父さんがここにいなくて良かったとデンゼルは思った。やがて、人ごみをかき分けてホームへ行き、流れにのって線路に降りた。この先に何が待っているのかわからなかった。しかし、指示をしてくれた大人はガスキンだけだったので、その言葉にしたがうのは当然だとデンゼルは思った。

鉄製の支柱の上に敷かれたレールと枕木の隙間からずっと下の地上が見えた。落ちたら絶対に助からない高さだと思い、デンゼルは慎重に降りた。ミッドガルの外周をらせん状に降りて行く道はうんざりするような長さだったが、足を滑らせないように集中して歩くと何も考えずにすんだ。

突然行き止まりになった。大人たちが立ち止まっている。渋滞が起こっているようだった。人垣をかき分けて前に出ると三歳くらいの男の子がレールと枕木しかない不安定な場所に足を投げ出して座っているのが見えた。

誰かが男の子に話しかけた。

「ママは？」

子供は突然ママと叫びながら泣き出し、下を覗き込もうとした。バランスをくずして落ちそうになったのでデンゼルはとっさに駆け寄って腕を摑《つか》んだ。大人たちのどよめきが聞こえてきた。誰かが言った。

「おい、その子、やられてるぞ」

「触るな、うつるぞ」

デンゼルは何を言われているのかわからなかった。

「おい、道をあけろよ」

誰かが怒鳴った。仕方がないので男の子の腰に手を回し、引きずるようにして支柱とレールを固定するための鉄板の上へ移動した。どうして誰も手伝ってくれないんだろうと思ったが、その理由はすぐにわかった。その子の背中はべとりと黒く濡《ぬ》れていた。

道が開けたので人々は歩き始めた。男の子は「痛い」と「ママ」を繰り返しながら泣いている。誰かが言った「うつるぞ」という言葉を思い出した。自分も病気になるのかと思い、男の子に腹を立てた。しかしすぐにルヴィのことを思い出した。あんなに親切にしてくれたルヴィから黒い液体が出てきたとき気持ち悪いと思った自分。怖くなって逃げ出してしまった自分。罪悪感で胸がいっぱいになった。だから、男の子に優しくしようと思ったのは罪滅ぼしのつもりだった。ルヴィに許してほしかった。

「どこがいたい？」

男の子の横にしゃがんで聞いた。

「うしろ、いたい」

「背中がいたいのか？」

「うん」

男の子の背中に慎重に手を当てた。お腹が痛いときに母さんに撫でてもらうと痛みが消えた。どこかをぶつけた時も同じだった。母さんの魔法、ぼくにも使えるかもしれない。

デンゼルは少し粘り気のある黒い液体を気にしないようにして撫で始めた。最初は痛がっていた男の子はやがて眠ってしまった。

三時間。もしかしたらもっと長く、時々休憩しながら撫で続けた。人々はデンゼルたちを無視して線路を降りていく。

「もう、死んでるわよ」

顔を上げると疲れた顔の女が立っていた。

胸に赤ん坊を紐《ひも》でくくりつけて、デンゼルくらいの年頃の女の子と手をつないでいた。その子が言った。

「女の子みたいなシャツ。変なの。ねえ、ママ、早く行こう?」

ママと呼ばれた女は無言のまま娘の青いジャケットを脱がした。デンゼルに差し出して、

「これをかけてあげなさい」と言った。三枚も重ね着させられて汗をかいていた娘はほっとしたような顔をした。

「あげる。お姉ちゃんのだから大きいの」と女の子は言ったが姉らしき姿はなかった。

デンゼルは自分の横で体を丸めて眠っている男の子を見た。寝息は聞こえなかった。

デンゼルの全身から力が抜けていった。女の子が母親からジャケットを受け取って、さっきの男の子に覆《おお》い被《かぶ》せた。体がすっかり隠れて見えなくなった。

「お姉ちゃんといっしょ」と女の子が言った。

「ありがとう」それだけ言うのが精いっぱいだった。母親はすでに歩き出し、女の子も後を追っていった。女の子が自分の手を母親の手にすべりこませた。二人の手は真っ黒に汚れていた。

デンゼルは女の子が背負っているチョコボが描かれたカバンを見つめながら思った。

ぼくたちは身体から黒いねばねばしたものを流して痛い痛いと泣きながら死んじゃうんだろうか。病気がうつって、みんな死んじゃうのかな。

＊　　＊

「あの頃はまだ星痕《せいこん》のことは何もわかっていなかったからね。ライフストリームを浴びた者はからだからウミを出して死ぬ。触るとうつると言う者もいた。実際はライフストリームに混じっていたジェノバの思念が──いや、わかっていたとしても状況は変わらなかっただろうね」

「そうですね。特に子供にとっては」

「うん」

「ぼくは線路の上で考えたんです。早く大人になりたいって。考えてもわからないことを少しでも減らしたいと思いました」

＊　＊

デンゼルはスラムの駅で、逃げてくる人々をぼんやりと眺めていた。次から次へと上層から降りてくる人々は、立ち止まったら終わりだと考えているかのように歩き続けた。自分もそうしなければばと思っていたが、ここにいれば知っている顔に会えるかもしれないという期待も捨てられなかった。そんな中途半端な状態のデンゼルを動かしたのは耐え難い空腹感だった。

食べ物を探して駅の周囲を歩いていると、少し離れた場所にたくさんの荷物が積み上げられているのが見えた。そこからさらに先の方で数人の男たちが何かの作業をしているのが見えた。穴を掘っているようだった。風に乗って腐臭が漂ってきた。男が若い女を肩に担いで運んで来て、女をそっと穴の中へ下ろした。そこは臨時に作られた墓場だった。あわててその場を立ち去ろうとしたとき、積み上げられた荷物の中に見覚えのあるカバンを見つけた。チョコボが描かれていた。自分でもよくわからない衝動に動かされて、そのカバンを手に取ると中を見た。クッキーとチョコレートが入っていた。デンゼルは持ち主の女の子のことを考えた。あの子はもういないんだ。

「食え」と声をかけたのはガスキンだった。

デンゼルが漠然と会いたいと思っていた相手だった。

「病気がうつるのが心配か？　ただのウワサだ。もしかしたら本当かもしれねえが、今のところウワサだ。それにな、何も食べなくても死ぬぞ。どうせ死ぬなら腹いっぱいで死にたいだろ？」

そう言うとカバンに手を入れてクッキーをつまんで食べた。

「うまい。まだ食える。放っておいたら腐るだけだ。もったいないから食え」

デンゼルもクッキーを食べた。甘さが心地よかった。カバンに向かって声をかけた。

「ありがとう」

ガスキンがデンゼルの頭を乱暴に撫でた。父さんとは全然ちがうタイプだけど撫で方は同じだと思った。

結局、それから約一年、デンゼルはそこで暮らすことになった。その一年の、デンゼルの最初の仕事は荷物の中から食べ物を見つけることだった。すぐに仲間もできた。全員、親を亡くした子供たちだった。ガスキンの仲間も増えていった。考えるのが苦手で身体を動かしていないと気がすまない馬鹿野郎どもとガスキンは言った。最初に遺体を埋葬しはじめた一団だった。デンゼルは時々、笑っている自分に気がついた。元の自分に戻れるような気さえした。しかし、三週間ほどでミッドガルから避難してくる人々の数が減り、駅で力尽きる者もいなくなった。ガスキンたちのここでの役目は終わりに近づいていた。デンゼルは未来に対する不安で眠れない夜を過ごした。

ある日、男がひとり、探しものをしているという様子で歩いてきた。やがて男は、デンゼルと仲間の子供たちに近づいてくると話しかけてきた。

「鉄のパイプが欲しいんだよな。たくさんあればあるほどいいんだけど」

デンゼルたちは鉄パイプを探した。パイプは七番街の残骸《ざんがい》の中からたくさん見つかったので、男は礼を言い、去っていった。

その後、男は何度もやって来た。三度目からは同じように探し物をしている仲間を連れてきた。ミッドガルの東側で新しい街づくりが始まって、そこで使う資材を探しているということだった。子供たちは探し物を届ける代わりに食べ物をもらうことにした。

デンゼルたちは七番街探索隊と名乗るようになった。仕事の依頼はたくさんあった。大人のように働いて生活している自分たちが誇らしく、毎日が楽しくなっていた。両親のことを思って涙が出る夜もあったが、仲間たちで励ましあった。運命共同体という言葉が使われるようになった。しかし、デンゼルたちが考えていたほど、運命は力強く一同を結び付けたわけではなかった。

ある朝、ガスキンが仲間たち、すなわち探索隊の大人と子供を集めると、新しい街づくりに参加するためにみんなで移住しようと言った。ガスキンが言うならそうしようと意見がまとまりかけたとき、子供たちのひとりが聞いた。

「ガスキンさん、具合悪いの？」

その子はガスキンが話の最中に度々胸をさするのを見ていた。

「ちーっとな」ガスキンが上着のボタンをはずすとシャツは真っ黒に濡れていた。

＊　＊

「ガスキンさんは一ヵ月後に死んでしまいました。みんなで特別な場所に埋めてあげました。いい人はみんな死んじゃいますね」

デンゼルの言葉にリーブは静かにうなずいた。デンゼルはコーヒーを口に含んだ。とても苦く、大嫌いな飲み物だったが早くおいしいと思えるようになりたいと思っていた。

＊　＊

大人たちは去っていったが、二十人ほどの子供たちが七番街探索隊として残っていた。

新しい街がエッジと呼ばれて勢い良く発展していることは知っていた。孤児たちのための施設ができたことも知っていた。しかし、自分たちは街づくりの役に立ち、大人に頼ることなく生きている。この場所を去る理由はないように思えた。孤児と呼ばれて保護されるのは格好悪いという意見もあった。しかしそんな子供たちの自負心とは関係なく、街づくりは新しい段階を迎えていた。各地から運ばれてきた大型機械を使った作業が中心になっていた。デンゼルたちが力を合わせて短い鉄骨を一本運ぶあいだに、大型のクレーンが家を一軒そのままの姿で吊《つ》り上げて運んで行った。探索隊の仲間たちも一人、二人と欠けていった。ある夜、デンゼルが仲間を数えると自分を入れて六人しか残っていなかった。全員腹を空《す》かせていた。最後の女の子が自分もエッジへ行くと言い出した。

＊　＊

デンゼルはくすりと笑った。

「どうしたんだ？」リーブが不思議そうに見ていた。

「ぼくはその子が嫌いでした。男たちは女なんか足手まといだとか言うくせに、その子がいるグループに入りたがるし。人数が十人以下になってからは仕事がやりにくくて」

リーブも笑った。

「でも、今はわかるんです。そのころには、そういう、なんていうんだろう、普通のことで悩んだり怒ったりできるようになっていたんだなって」

「その子に感謝、だな」

「もう、いないんです」

＊　＊

目覚めると、探索隊は自分とリックスという少年の、二人だけになってしまったことを知った。

「これじゃあ、ネジや電球が精一杯だ」

デンゼルは笑って言った。

「たいした儲《もう》けにならねえな」

リックスもにやにやしながら応えた。

「朝飯、おれが買いに行ってくるよ。仕事も探してくる」

「じゃあ、ちょっと待ってろ」

リックスは金庫の隠し場所へ行ってフタを開けた。

「おい、デンゼル！　やられた！」

金庫にはパン一切れも買えないような額しか残っていなかった。二人はしばらくのあいだ黙って座っていた。先に口を開いたのはリックスだった。

「もう、エッジで暮らすしかねえのかな。ただで食い物もらってさ」

「負けだ」

「うん、負けだ。でも飢え死にしたくない」

突然デンゼルは父親が言っていたことを思い出した。

「ネズミつかまえて食うか」

「ネズミ？」

「うん。スラムじゃみんな貧乏だからネズミを食うんだってさ。汚い灰色のネズミさ。ここはスラムだし、おれたちは貧乏だし」

「ホンキか？」

「うん、おれ、ネズミを食ってやる。本物のスラムの子になってやる」

リックスはゆっくりと立ち上がり、ホコリじみたシャツやズボンを叩《たた》いた。デンゼルも立ち上がって周囲を見回した。

「ヤリがいるんだ」

「ひとりでやれよ。おれは生まれた時からスラムの子だ」

デンゼルは失敗に気がついて、取り繕《つくろ》おうとした。

「――知らなかった」

「知ってたらどうした？　仲間にならなかったのか？」

「そんなことない！」

「わかんないね。おまえはツンとすましたプレートのガキだもんな」

「リックス――」

「覚えとけ。ここらのネズミはおまえらがたれ流した汚水のせいで、おっそろしいバイキンを持ってるんだ。そんなもん、食う奴なんかどこにもいない」

リックスはそう言い残して去っていった。

＊　＊

デンゼルは溜息をついた。

「ぼくは追いかけませんでした。許してもらえないと思ったから――」

「どうしてかな？」

「ぼくはやっぱり上の子でした。慣れた駅の周りや、瓦礫《がれき》でいっぱいの七番街のあたりは平気だったけど、他のスラムに行こうとは思いませんでした。エッジに行かなかったのも、そこがスラムみたいなものだと考えていたからだと思います。貧しくて、汚い場所だって」

「リックスは？」

「元気です。まだ口をきいてくれないけど」

「良かった。仲直りのチャンスはまだある」

＊　＊

デンゼルは拾った棒の先を鋭く削ったヤリを持ってネズミを探していた。捕まえて食べるつもりだった。父さん。スラムの人はネズミを食べたりしないんだ。でもぼくは食べるつもりだよ。だって、お金も仕事もないし、ここはスラム以下だから。ぼくは七番街の子だから、こんなところで大きくなれないよ。

孤独がデンゼルの生きる意思を奪っていった。七番街がなくなった時と同じ状況だったが、あの時と違うのは、両親、アーカム、ルヴィ、ガスキン、探索隊、ここまで自分を支えてくれた出会い以上のことはもうないだろうとデンゼルが思い込んでいることだった。

もう笑えない気がしていた。笑えない人生に意味はない。そうだよね、母さん。おっそろしいバイキンでいっぱいのネズミがぼくを助けてくれるはずなんだ。

＊　＊

「おいおいおい！」いつの間にかそばで話を聞いていたジョニーが声を荒げた。

「その時はそう思ったんだ。でも、ぼくはまちがってた。だから今、ここにいる」

「ま、そうだよな」

「最高の出会いがあったわけだ」

「最悪の状況でしたけどね」

＊　＊

ネズミはどこにもいなかった。あても無く探し回るうちに伍番街下のスラムまで来ていた。崩れかけた教会があった。扉の前にはバイクが止めてあった。初めて見る形をしていた。しかし、その形よりも目を引いたのはハンドルにぶら下がった携帯電話だった。

デンゼルの顔に笑みが浮かんだ。ちょっとだけ借りよう。通じたら楽しいだろうな。バイクに近づいて携帯電話を手に取った。自分の家の番号にかけながら、七番街下の瓦礫の中で電話が鳴る様子を想像した。

「七番街の電話は全て不通となっています」

探索隊の仕事をしながらデンゼルは両親を探していたが再会はできなかった。大きな瓦礫の下敷きになっているんだと考えていた。もう、どこかで生きているとは思わなかった。

「七番街の電話は全て不通となっています」

デンゼルは電話を耳に当てたまま上を見た。伍番街のプレートの裏側が見えた。あのプレートの上にルヴィさんが眠っているんだと気づいた。ここはお墓の下なんだ。だからこんなにさびしいんだ。

「七番街の電話は全て不通となっています」

電話を切った。地面に叩きつけようと思ったがやめた。もう一回貸してください。ルヴィの電話番号を思い出そうとしたが、そもそも知らないことに気づいた。ふと思いついて、電話の着信履歴を見た。一番上の番号にかけてみることにした。呼び出し音が鳴った。すぐに相手が出た。

「クラウド、電話してくるなんてめずらしいのね。何かあった？」

その女の声をデンゼルは無言で聞いていた。

相手は不審そうな声で言った。

「クラウド？」

「——ちがうんです」

「誰？　それ、クラウドの電話でしょ？」

「わかりません」

「誰なの？」

「わかりません。ぼく、どうしたらいいのかわからないんです」途中から声が震えた。

「きみ、泣いてるの？」

涙が流れた気がした。ぬぐおうとして目を閉じたとき額に激痛が走った。痛みで身体がこわばって電話を落としてしまった。額を押さえてうずくまった。手のひらに粘り気のある液体がついた気がした。やっぱり死にたくないと叫びたくなった。しかし痛みがそれを許さず、心の中で祈るのが精いっぱいだった。黒くありませんように。黒くありませんように。

脈打つ痛みに耐えながら目を開いた。手のひらは真っ黒だった。

＊　＊

「あとのことは覚えていません。気が付いたらベッドの中でした。ティファとマリンがぼくを見ていました。それからのことは——知ってますよね？」

「まあね」

「ぼくはいろんな人のおかげで生きています。両親、ルヴィさん、ガスキンさん、探索隊の仲間たち。生きている人、死んじゃった人、ティファ、クラウド、マリン、それから——」

リーブはわかったとうなずいてみせた。

「ぼくは誰かのそういう人になりたいです。今度はぼくが守る番です」

リーブは黙っている。

「入れてください」

デンゼルは身を乗り出して言った。

「ダメだ。ダメダメ！」とジョニー。

「あんたは黙ってて！」

「おまえ、まだガキじゃねえか！」

「そんなの関係ない！」

「いや」リーブが口を開いた。「実は——WROには子供はいれないことになった」

「ほらみろ！」

「それじゃあ最初から断ればいいじゃないですか」

デンゼルは口を尖《とが》らせて言った。

「いや、今決めたんだ。きみの話を聞きながらね。子供には子供にしかできないことがある。きみにはそれをやってほしい」

「——なんですか？」

「大人の力を呼び起こせ」

デンゼルは続きを待った。しかしリーブは話は終わりというように立ち上がった。

「ああ、それから——」

デンゼルは期待を込めた目でリーブを見つめた。

「母に良くしてくれて、ありがとう」

リーブは尻ポケットからハンカチを出してひらひらと振ってみせた。小さな花の模様がたくさんあった。

リーブが去った後のテーブルをジョニーが片付け始めている。デンゼルはテーブルの上に置いた自分のハンカチを見つめていた。

「おまえよ――」ジョニーが手を止める。

「戦うのなんて、その気になりゃいつだってできるじゃねえか。WROなんて入る必要ないだろ？　なんでこだわるんだ？」

「クラウドは――」

「あいつがどうした」

「ずっと前は軍隊にいたから強いんだ。おれも強くなりたい」

「時代はよ――変わると思うぜ」

「どんなふうに」

「そうだな。武器を振り回す男より、誰かの痛みをずーっとさすっていられる。そんな男がモテる時代」

「モテたいわけじゃないんだよね」

ジョニーに冷たく答えながら、デンゼルは自分を励ましてくれた、たくさんの手を思い出した。男も女も大人も子供も、とても力強い手だったように思えた。

男はライフストリームが自分の精神――かつての体験や思考、感情の記憶――を削り取ろうとしているのを感じていた。このまま流れに身をまかせてしまえば、やがて自分という存在は拡散し、星を巡る精神エネルギーの中に消えてしまう。許されないことだと男は思った。星は支配するものであって、そのシステムに貢献することなど、敗北以外の何ものでもない。

男はライフストリームが大きく動き出すのを感じた。それもまた別の敗北の証《あかし》だった。このライフストリームが地上に噴《ふ》き出した時、あのクラウドは勝利を確信するに違いないと男は考えた。クラウドは男を二度もライフストリームに送り込んだ相手だった。男は、精神の核となるものを失わなければ、星のシステムから独立した存在でいられることを知っていた。クラウド。クラウドを核にしてやろうと男は決めた。そしてクラウドにもそのことを教えてやりたいと考えた。おれはおまえを思い続ける。その証を、おまえにも見せてやろう。

On the Way to a Smile

EPISODE: TIFA

FINAL FANTASY VII

ティファは最後の客を送り出したセブンス・ヘブンの厨房で後片付けをしていた。必要最小限の明かりをつけただけの薄暗い店内には他に誰もいない。ほんの数日前までは、家族の姿を見ながら、何の苦も無く終えることができる作業だったが、今は水がやけに冷たく、食器の汚れもなかなか落ちないように思えた。ティファは気分を変えようと店内の照明を全てつけた。一瞬明るくなったが、不安定な電力供給のせいで、すぐにまた薄暗くなる。余計に気持ちが滅《め》入《い》ってしまった。自分はこの家の中でひとりきりなのだろうか。やがて、たまらなくなり、娘の名を呼んだ。

「マリン！」

ほどなく店の奥にある子供部屋の方から慎重そうな足音が聞こえ、マリンが顔を見せた。

「しーっ」

人差し指を唇に当て、幼い眉《まゆ》をひそめて非難している。ティファは、ごめんと謝りながらもほっとする。

「デンゼルがやっと眠ったの」

「痛がってたの？」

「うん」

「呼んでくれればいいのに」

「デンゼルがダメだって言ったんだもん」

「そっか——」

子供に気を使わせている自分が情けなかった。

「それで、なに？」

「ええと——なんだっけ？」

ティファは感情を隠して意味のない答えを返す。

「さびしくなったんでしょ」

マリンが大人びた口調で言った。

「うん——そう」

「わたしはどこへも行かないから」

「うん。ありがとう。マリン、早く寝てね」

「寝るところだったの！」

「ごめん」

ティファは洗い物を中断してマリンの後をついて行った。マリンの両親はすでに亡く、父親の親友だったバレットが引き取って育てていた。そのバレットと知り合った時からの付き合いなので、ティファはマリンの人生の半分近くを知っていることになる。バレットが「落とし前をつける旅」に出ることを決意した時、マリンを預かることは自然な成り行きだった。

子供部屋にはベッドがふたつ並んでいる。そのうちのひとつでデンゼルが寝息を立てていた。八歳の少年の額にできた星痕《せいこん》が痛々しい。症状は治まらず、かといって進行するわけでもなくデンゼルを苦しめている。濡《ぬ》れたガーゼで額のアザから染み出るウミを拭《ふ》き取ってやるとデンゼルは少し顔をしかめたが、そのまま眠り続けた。その様子を見守っていたマリンは、自分のベッドに潜り込んでからティファの名を呼んだ。

「わたしたちがいるけど、ティファはやっぱりさびしいんだよね」

「――ごめんね」正直に答えた。

「いいの。わたしたちも同じ」

「うん」

「ねえ、クラウド、どこにいるのかな」

わからない、とティファは首を横に振った。クラウドはミッドガルのどこかにいる。最初は仕事先で事故に遭ったのか、それともモンスターに襲われたのかと最悪の事態を想像した。しかしすぐにクラウドは仕事を続けていることがわかった。姿を見かけたという人もいる。彼はただ単純に家から出ていっただけだった。ティファは子供たちに、何も問題はないと思わせておく余裕を無くしていたので、デンゼルたちもほどなく何が起こったのかを知ることになった。

「どうしていなくなったの？」

わからなかった。いろいろ問題はあったかもしれない。しかしティファはクラウドが最後に見せた笑顔を覚えている。何もかも大丈夫だと思わせる優しさがあった。あれは勘違いだったのだろうか。

あの日。運命の日。宇宙から飛来したメテオを消し去ろうと、大地から噴き出したライフストリームがミッドガルに集結していた。その光景をティファは仲間たちと一緒に空から見ていた。何もかも押し流してくれればいいと思っていた。わたしの過去。わたしたちの過去。もしかしたらわたし自身も。戦いが終わるという安堵《あんど》とともに未来への漠然とした恐怖を感じていた。自分はこのまま生きていてもいいのだろうか。誰かが同じ質問をしたら、ティファは迷わず、どんな事情があっても生きるべきだと答えただろう。しかし自分自身のことになると、わからなかった。

神羅《しんら》カンパニーが魔晄《まこう》エネルギーを開発し、そのおかげで世界は繁栄した。地上は光で満ちあふれたが、同時に闇《やみ》はより深いものになった。反神羅グループ「アバランチ」はその闇を世間に知らしめるために活動していた。

「魔晄は星を巡る命を吸い出して作ったもの」

魔晄エネルギーは星を破滅へと導く。しかし彼らの地道な活動もむなしく、世の中は何も変わらなかった。一度知ってしまった魔晄の恩恵に背を向けることは難しい。アバランチは状況を変えようと、より過激な活動を選んだ。多くの人々が暮らす魔晄都市ミッドガル。そこで消費されるエネルギーを生産している魔晄炉のひとつを爆破してしまったのだ。

爆弾の製造過程でミスがあり、彼らの予想以上の破壊が魔晄炉とその周辺にもたらされた。この事件がきっかけとなり、神羅カンパニーはアバランチ壊滅に乗り出した。たった数人のグループを潰《つぶ》すために神羅がしたことは、アバランチのアジトがあるミッドガルの一部を住民もろとも破壊してしまうという残忍な仕打ちだった。その結果、直接間接を問わずアバランチが原因で失われた命は数え切れないほどになった。

そのアバランチにティファは参加していた。

大きな目的のためには多少の犠牲は仕方がないと考えていた。後ろめたさは、いつでも自分たちの命を投げ出す覚悟があるという自己陶酔が覆い隠した。めまぐるしく変化する状況に呑《の》み込まれていった結果、ティファたちは考える余裕を無くしていた。より本格化した神羅との戦いに身を投じるうちに、セフィロスという脅威《きょうい》をも相手にすることになった。ティファは、幼なじみのクラウド、アバランチの生き残りバレット、混乱の中で知り合ったエアリス、レッドXIIIとともに旅に出た。シド、ケット・シー、ユフィ、ヴィンセントというそれぞれの事情を抱えた仲間が増えた。

新しい友情が芽生えたが、その代償であるかのようにエアリスの命が奪われてしまった。それでも旅は終わらなかった。ティファに旅の経緯を振り返る余裕ができたのは、戦いが——勝敗はともかく——収束に向かっていると感じられるようになってからだった。

始まりは、ティファがまだ少女だった頃の出来事。故郷のニブルヘイムに神羅が建設した魔晄炉でトラブルが発生し、村が危険にさらされた。その対処のために神羅が派遣してきたセフィロスに父親を殺された。神羅とセフィロスが憎くてたまらなかった。そしてアバランチに参加した。つまり、個人的な恨みが始まりだった。アバランチが掲げていた反神羅、反魔晄のスローガンは、本当の動機を包み隠すには丁度良かった。しかし失われた命は星を守るための犠牲だったとしても多すぎる。ましてやそれが個人の復讐《ふくしゅう》のためだとしたら。

罪の意識は心の奥で出番を待っていたのだ。この感情と一緒に生きていくことができるのだろうか。未来を恐れながら、ティファは空から地上を見ていた。しかし、隣で同じ光景を見ていたクラウドは穏やかに微笑《ほほえ》んでいた。旅の最中には見たことのない表情だった。クラウドはティファの視線に気づく。

「どうした？」

「そうか？」

「クラウド、笑ってる」

「うん」

「これから始まるんだ。新しい――」クラウドは言葉を探してから「新しい人生」と言った。

「俺は生き残ってやる。そうすることでしか許されないと思うんだ。いろいろ、あったから」

「そう――だね」

「でも、新しい人生のことを考えたのは何度目だろうと思ったら、おかしかった」

「どうして？」

「おれは全部失敗してるからな」

「笑えないよ」

「――次は大丈夫だと思うんだ」クラウドは少しの間考えてから続けた。「今度はティファと一緒だから」

「ずっと一緒だったじゃない」

「少し、意味がちがうんだ」クラウドは再び笑顔で答えた。

ティファは仲間たちとともにエアリスに会いに行った。忘らるる都の泉で眠っているはずのエアリス。彼女が命と引き替えに救おうとした世界は、もう大丈夫。ティファはそう報告した。あなたは大丈夫？　と声が聞こえた。それはエアリスの声なのか、自分の声なのかわからなかった。ティファは泣いてしまった。セフィロスによってエアリスの命が奪われた直後は、その死を悼《いた》む余裕はなかった。悲しくはあったが、それは敵への怒りと憎しみに変化していった。

しかし改めてこの場所を訪れて感じた悲しみは、心を切り裂く痛みを伴っていた。その痛みに耐えながらティファは思った。アバランチの一員として、わたしはこんな思いを大勢の人にさせたんだ。さらに涙が溢《あふ》れてきた。

「ごめんね。ごめんなさい」

肩にクラウドの手を感じた。わたしが迷わないように、しっかり抑えてくれているようだ、とティファは思った。今は思う存分泣こう。そして、後はこの手に身を委《ゆだ》ねよう。自分ひとりではどうしていいのかわからないから。

苦難の旅をともにした仲間たちとの別れは、あっさりしたものだった。ヴィンセントは列車の席がたまたま隣り合わせになった人のような素っ気なさで去っていった。仲間がこんなことでいいのか、とユフィが抗議した。生き残ったんだからいつでも会えると言ったのはバレットだったか。シドだったかもしれない。

その後、ティファはクラウド、バレットと一緒にコレル村へ行った。バレットの故郷だった。バレットにとっては、この村で起こった魔晄炉を原因とする惨事が全ての始まりだった。黙って村を一瞥《いちべつ》すると、来るんじゃなかったと言った。バレットもまた罪を抱えて生きていかなくてはならないのだ。

ニブルヘイムへも行った。ティファとクラウドの故郷だった。懐かしさは感じなかった。この村で起こった事件を鮮明に思い出しただけだった。

「来ない方が良かったな」とクラウドは言った。「過去に引き戻されそうだ」

ティファもまったく同じことを考えていた。

＊　＊

そしてカームへ行った。エアリスの養母エルミナと、預けていたマリンが待っていた。エルミナの親戚の家があり、二人はそこの世話になっていた。バレットとマリンは再会を喜び合った。クラウドはエルミナにエアリスの身に起こったことを話し、助けられなかったことを謝罪した。

「あんたたちが謝ることはないよ。精いっぱいやってくれたんだろ？」

エルミナの言葉に、ティファは何も答えられなかった。

カームの街はミッドガルから避難してきた人々でいっぱいになっていた。普通の家が緊急の避難所になった。宿屋でさえ無料で避難民に部屋を提供していたが、それでも収容しきれないほどの人々が通りに溢れていた。皆、同じように疲れて見えた。病気にかかっているらしい人が大勢いた。

「伝染病だって噂《うわさ》だぞ。マリンにうつったら困る。さあ、帰ろう」

すっかり父親の顔になってバレットが言った。

「うん、帰ろう」とクラウドが同意した。

「ああ、でもよ、おれたち、どこへ帰るんだ？」

「中断された現実」

「なんだそれ？」

「普通の生活さ」

「そんなもん、どこにあるんだ」

「見つけるさ」クラウドはティファを見て言った。「な？」

「うん！」と元気よくマリンが答えた。ティファもうなずいたが、バレットと同じく、それはどこにあるのだろうと思っていた。


四人はミッドガルにやってきた。街はメテオ消滅直後の衝撃と混乱から早くも立ち直ろうと動きだしていた。人々が未来――あるいは、とりあえずの生活に向けて動きだしていた。その様子がまたティファを責めた。何もかも押し流されてしまえばいいと空から見ていたミッドガルには、こんなにもたくさんの人生があったのだ。ティファは自分の身勝手さをけっして許すまいと思い、クラウドとバレットに飛空艇で自分が考えていたことを告白した。男たちは、その気持ちはわかると同意しながらも、ティファを叱咤《しった》した。どこにいて、何をしていても罪の意識から逃れることはできないだろう。それなら、とバレットが言った。

「おれたちは生き続ける。一生罪を償いながら生き続ける。それしか道はない」と。


「あまり思い悩むのはティファらしくない」

二人きりの時にクラウドが言った。

「わたしは――こんなもんよ」

「いや」

「もっと強い。忘れてしまったのなら、おれが思い出させてやる」

「本当？」

「たぶん」照れながらクラウドは言った。


最初のうちはミッドガルとその周辺の情報収集をしていた。物資は何もかも不足していたが、それ以上に、どこに行けば何が手に入るのかという情報が行き渡っていなかった。三人は手分けして集めた情報を、必要としている人々に知らせて回った。自力で動けない人には力を貸した。夜はミッドガルの、いつ崩れても不思議ではないと噂されていたプレートの下で眠った。

ある日、バレットが家の解体を手伝った礼にもらったという酒瓶、ヒーター、そして何種類かの果物を持ち帰ってきた。

「まあ見てろって」バレットは片手だけで器用に料理に見えないこともない作業を始めた。

それがコレル村独特の酒であることがわかったのは二週間ほどたってからだった。ティファとクラウドはおそるおそるそれを啜《すす》った。バレットは浴びるほど飲み、気持ち良さそうに平和だった時代の思い出を語った。酒を飲み過ぎて井戸に落ちたこと。今は亡き妻に結婚を申し込むでも飲み過ぎてわけがわからなくなったこと。ティファとクラウドは久しぶりに声を出して笑った。

翌日、バレットは真面目《まじめ》な顔をして言った。

「店を作ってこの酒を売るってのはどうだ?」

「おれたちが?」クラウドは驚いて聞き返した。

「バカ言え! おれたちに接客は無理だ。ティファがやるんだよ」

「わたし?」

「得意じゃねえか」

かつてのアバランチのアジトはセブンス・ヘブンという名の居酒屋だった。その店がメンバーの生活の糧《かて》と活動資金を稼ぎ出していた。ティファはその店の看板娘兼、実質的な経営者だった。

「おれが見たところ、ミッドガルの連中は二種類に分かれる。この街に起こったことをまだ受け入れられずにグジグジしてる連中と、とにかく生きようとして体を動かしている連中だ。でな、おれにはどっちの気持ちもわかる。みんな問題を抱えていて、どう対処するかの違いだけだろ? ってわけでな、みんなの問題を解決するのが酒だ」

「なぜ?」

「わかんねえよ。でも、昨日みんなで酔っぱらって笑ったじゃねえか。いろんなこと忘れられただろ？　その瞬間だけはよ」

「まあ、そうだな」

「だろ？　だろ？　そういう時間が大事なんじゃねえか？　な、ティファ。どうだ？」

ティファは即座に答えられなかった。バレットが言っていることはわかる。しかし店を開くことでアバランチ時代に逆戻りしてしまうような気がした。

「ティファ、やってみろよ。辛《つら》かったらやめればいい」

ティファの心を見透かしたかのようにクラウドが言った。

「辛くねえって。ティファは働いてないといろんなこと考えちまって、なーんもできなくなっちまうんだから」

その通りかもしれない。

三人は準備を開始した。店はミッドガルから東にできつつある通り沿いに作ることにした。必要な資材は、誰もがそうしているように、ミッドガルから運び込むことにした。やがて、ティファたちが知らせて回った情報に助けられ、恩を感じていた人々が集まって、店作りを手伝ってくれた。

バレットが大声で指示を出し、クラウドは小声でそれを修正して回った。ティファはコレル酒の作り方を覚え、改良し、飲みやすい酒にした。さらに、安定して調達できそうな食材を使った、店で出す料理を考えた。マリンは店作りを手伝ってくれる人たちのマスコット的な存在だった。新しい店の看板娘は自分だと主張していた。毎日新しい問題が起こり、それを解決することは大変でもあったが、達成感があった。時折、笑っている自分がとても罪深い存在に思えたが、慌ただしい日々の中には、ひとりで悩む時間などなかった。

あと何日かでオープンできるかもしれないとクラウドが言うと、バレットが、そろそろ名前を決めようと提案した。幾つかの案が出たが、クラウドの案は無味乾燥で、バレットの案は店ではなくモンスターを思わせた。結局、ティファが決めることになった。男たちはどんな名前でも文句は言わないことを約束した。しかしオープンを目前にしてティファの仕事はますます増えていったので、名前を考える余裕はなかった。


「ねえ、店の名前、決まった?」

マリンが恥ずかしそうに言った。

「まだ考え中だけど——何かアイディアがあるなら言ってみて」

「セブンス・ヘブンがいいな」

ティファがそれだけは避けたいと思っていた名前だった。

「どうして?」

「だって楽しかったよ。セブンス・ヘブンにしたら、また楽しくなるよ」

ティファはすっかり忘れていた。大人たちには野望があったが幼いマリンには関係なかった。マリンにとってセブンス・ヘブンは、バレットとティファ、そして仲間たちがいた楽しい家なのだ。

「うーん、セブンス・ヘブンか」

過去を消すことはできない。折り合いをつけて生きていくしかない。ティファは覚悟を決めた。

セブンス・ヘブンはオープン初日から盛況だった。コレル酒はその気になれば自宅でも作ることは可能だったし、料理も特別なものは何もない。安定して入手できる食材が限られているので凝ったものは作れなかった。それでも人々は、こういう場所を求めていたのだ。仲間と酒を飲みながら過ごせる場所。現実を噛《か》みしめ、あるいは現実を忘れ、未来に思いを馳《は》せる場所。

金が無くても物々交換で飲むことができるようにした。子供連れでも入れるように、ジュースも数種類用意した。マリンが味見して気にいったものだけを店に出した。マリンは店にとっては欠かせない存在だった。夜、あまり遅くないうちはウェイトレスとして働いた。飲み過ぎた客には、躊躇《ちゅうちょ》無く帰るように命じた。

バレットは店の隅でちびちびと酒を啜《すす》っていた。もしかしたら用心棒のつもりだったのかもしれない。クラウドの仕事は食材と酒の原料を入手することだった。しかしそれには問題があった。クラウドは野菜や果物の名前をほとんど知らなかったのだ。最初は驚き、あきれたティファだったが、クラウドが過ごしてきた人生を考えると仕方のないことだと思い直した。クラウドの新しい人生は、野菜の名前を覚えることから始まる。そして、どこかの誰かと交渉して、公平な条件で食材を調達することも、クラウドにとっては初めてのことに違いない。文句も、愚痴も言わずに毎日出かけていくクラウドがとても愛《いと》おしく思えた。同時に、わたしのために無理をしているのではないか、という思いもあった。ある日、店が軌道に乗ったら、出ていってしまうのではないだろうか——ティファは頭を振って不安を追い払おうとした。これ以上を望んではいけないと自分に言い聞かせた。

出ていくと言い出したのはバレットだった。開店一週間目。店の好調な滑り出しを確認したバレットは、マリンを置いて旅に出ると宣言した。

「おれはな、自分の人生に落とし前をつけてえんだ」

バレットの言葉にティファは動揺した。クラウドは落ち着いてうなずいている。まるで事前に聞いていたように。

「落とし前って——それなら、わたしだって」

「ティファはここでできるじゃねえか。奪うだけじゃない。与えることもできるって証明してみろ」

バレットはそれだけ言うと、準備があるからと店を出ていった。

「知ってたの？」

「うん」

「止めた？」

「いや。ここはティファの場所だって言うから——」

「——そう。それなら、仕方ないね」

クラウドもそう思っているの？　本当はそう聞きたかった。

バレットが出発する前の晩、いつもはティファと眠っているマリンは、養父のベッドで眠った。夜遅くまで二人の話し声が聞こえていた。

朝早く、バレットは出ていった。その背中にマリンが言った。

「お手紙ちょうだいね！　電話もね！」

バレットは義手代わりに機関銃を取り付けた右腕を軽くあげて、振り向かずに歩いていった。戦い以外に生きる道はないという後ろ姿だった。バレットはいったいどんな人生を見つけるのだろう。願わくは戦いから遠ざかることができますように。奪うだけじゃない。与えることができるってことを証明できますように。

「ちゃんとここんちの子供になるからね！」

マリンのその言葉にクラウドとティファは顔を見合わせた。ここんちの子供？

「ティファとクラウドのことはまかせて！」

振り返ったバレットは大声で言った。

「しっかりな！」少し声がかすれていた。

「家族で力合わせてがんばんだぞ！」


罪の意識に押し潰されずに生きるためには仲間が必要だった。たとえそれが同じ傷を持った者同士、同じ罪を背負った者同士であったとしても。慰め合い、励まし合わなければ生きていけない。なるほど、それは家族と呼んでもいいのかもしれない。家族で力を合わせてがんばればいい。家族という仲間と一緒ならどんなことでも乗り越えていけるはずだ。

「家族、だね」

「うん！」

ティファの呟《つぶや》きにマリンが元気よく答えた。

「クラウドも家族に入れてあげるね」

「それはありがたいな」

マリンの無邪気な申し出に、クラウドは真面目な顔で礼を言ってからティファを見た。ティファは小さくうなずいて見せた。これからもいろいろな問題が起こるのだろう。でも、二人の関係を心配するのはこれで止めよう、とティファは思った。


店を始めてしばらくたった頃だった。食材の調達に出ていたクラウドから電話があった。セブンス・ヘブンで一生ただで飲み食いできる権利を発行してもいいか、という相談だった。ティファは事情を聞くことなく了解した。きっとそのおかしな権利と引き替えに、どうしても欲しいものがクラウドにはあるのだ。

夜になり、クラウドは見たこともないような型のバイクに乗って帰ってきた。それ以来クラウドは、少しでも時間ができるとバイクの整備をするようになった。どこで知り合ったのかエンジニアを連れてきて、改造の相談をしている。何人かがクラウドのバイクの完成のために力を貸してくれているようだった。それをマリンと近所に住む小さな友人たちが見つめている。その光景は、わたしたち家族は確実にこの世界の住人になろうとしているのだ、とティファを安心させた。

クラウドは仕入れのためにミッドガルを出ることが多かった。行き先は主にカームだった。

レンタルのバイクやトラック、時にはチョコボを使うこともあった。しかし、自由に使える自分のバイクを手に入れてからは遠出ができるようになり、時折、珍しい食材を持ち帰ってティファを驚かせた。

ある夜、セブンス・ヘブンにクラウド宛《あ》ての電話がかかってきた。少し話してから電話を切るとクラウドは出かけてくると言った。

「どこへ行くの？」

「なんて言ったらいいかな」

クラウドは食材調達の帰りに、ミッドガルへの届け物を頼まれることが多いのだと言った。電話の相手はいつも野菜を分けてくれる家の主人で、どうしても今夜中に届けたいものがあると言っているらしい。クラウドは隠し事がばれた子供のような顔をしてティファを見つめた。

「どうしてそんな顔してるの？」

「いや——黙っていて悪かった」

「何を？」

「勝手なことをして」

ティファは噴き出した。クラウドは荷物を届ける代わりに多少の手間賃を受け取っていたので、それが後ろめたかったと言った。そのお金はすべてバイクの改造につぎ込んだらしい。まるで子供じゃない、とティファは思った。クラウドが自分の知らない別の世界を見つけていたことはさびしくもあった。しかし、クラウドの世界が広がること自体は歓迎すべきだとも思った。そう、これは母親が抱く感情に似ているのではないだろうか。クラウドを送り出したティファは、自分の中に芽生えた新しい感情を楽しんでいた。

ティファは自分の中にある罪の意識とうまく付き合うことができるようになっていた。忘れることはない。いつか罰せられる日が来るかもしれない。その時が来るまでは前を見て生きよう。奪うだけではなく、与えることもできるのだということを自分自身に証明しながら。

ティファはクラウドに、荷物の配達をきちんとした商売にするように勧めた。仕事の依頼はこの店で受ければいい。電話の応対くらいなら、わたしもマリンもできる。クラウドは躊躇していたが、一晩考えてからその提案を受け入れた。躊躇の理由はわからなかったが、ティファは気にしなかった。どうせまた何か遠慮しているのだろう、としか思わなかった。

こうしてストライフ・デリバリー・サービスがスタートした。業務エリアをミッドガルを中心とした世界全域とした。ただしバイクで行ける範囲。クラウドは誇大広告だと笑った。セブンス・ヘブンと同じく、クラウドの仕事も大盛況だった。誰かに何かを届けたいと思っても簡単にはいかない時代だ。モンスターがいなくなったわけではないし、ライフストリームが噴出した影響で寸断されたまま放置されている道も多い。世界を駆け巡るこの仕事は誰にでもできるというものではない。求められていた仕事だった。人付き合いが苦手なクラウドの仕事が、人と人を荷物で結ぶことだというのは、なかなか素敵だとティファは思っていた。

クラウドがデリバリー・サービスを始めてから「家族」の生活は大きく変化した。それはあまり良い形ではなかった。クラウドは朝と深夜以外はほとんど家にいなかった。当然のように三人の会話は減ってしまった。ティファは週に一度店を休んだが、その日にクラウドの仕事が休みだとは限らなかった。クラウドは依頼を断ることはまずなかった。たまには一緒に休んで欲しいと思ってはいたが、それはわがままだとティファは自分を抑えていた。

クラウドの変化に気づいたのはマリンだった。クラウドが時々上の空で、わたしの話を聞いていないとティファに訴えた。もともとクラウドからマリンに積極的に話しかけることはなかった。しかし、話しかけられて無視するようなこともなかった。クラウドなりのやり方でマリンとうまくやっていこうとしているのがティファにはわかった。それは、どこにでもいる、子供が苦手な人の対処の仕方だ、と思っていた。

「クラウドは疲れているんじゃないかな」

そう答えたものの、やはり気になった。マリンは大人の変化には敏感な子だ。

休日にティファとマリンは、クラウドが事務所にしている部屋の掃除をしていた。たくさんの伝票が整理されないまま散らかっている。その中の一枚が目にとまった。

依頼者　エルミナ・ゲインズブール
荷物　花束
届け先　忘らるる都

ティファは何も見なかったかのように伝票を他と一緒にまとめて片付けた。しかし激しく動揺していた。荷物を運んで世界を巡ることが、そのまま過去を巡ることになっているのではないだろうか。エアリスの命を守ることができなかったという事実がクラウドを苦しめているのは知っている。クラウドはそれを乗り越えて生きようとしていた。しかし、エアリスと別れたあの場所へ行くことは悲しみと後悔で、再び心を切り裂くことになるのではないだろうか。

夜、閉店後にクラウドが珍しく酒を飲んでいた。グラスが空になった。ティファは考えた末に酒をつぎ足してやった。

「付き合おうか」話したいことがあった。

「ひとりで飲みたい」

クラウドのその答えにティファは自制心をなくして言ってしまった。

「だったら部屋で飲んでよ」


バレットからは時々電話があった。自分のことはほとんど話さず、マリンの様子を聞くのが常だった。そして最後にマリンと話す。ティファが聞いていないと思ったのかマリンは寂しそうに言った。

「クラウドとティファがあんまり仲良しじゃないの」

ティファは努めてクラウドに話しかけるようにした。マリンが近くにいる時は特に積極的に話しかけた。話題は、深刻にならなさそうなものを選んだ。クラウドはティファの変化に戸惑っていたが、すぐにその目的を察して、調子を合わせた。マリンも会話に参加してきた。ティファの試みはうまく行っているように思えた。

ある朝、ティファは店の常連から聞いた笑える話を披露した。

「それは確かにやってられないな」とクラウドは感想を言った。

「やってられない！」とマリンは叫んだ。

大人たちは驚いてマリンを見た。

「その話は前にもしたじゃない。クラウドは同じように答えたじゃない！」


うまくいってはいない。でも、一緒にいた。なぜなら家族だから。同じ家に住み、力を合わせて生きている。会話も笑顔も少ないかもしれない。でも、わたしたちは家族なんだとティファは思った。いや、思い込もうとした。

クラウドが眠っているのを確認してから声をかけてみる。

「わたしたち、大丈夫だよね？」

もちろん答えはない。寝息が聞こえるだけだ。クラウドがここで眠っているという事実だけが家族の証明なのだろうか。

「わたしのこと、好き？」

クラウドは目を覚ます。怪訝《けげん》そうな顔。

「ねえ、クラウド。マリンのこと、好き？」

「ああ。でも、時々どう接したらいいのかわからない」

「もうずいぶん一緒にいるのに？」

「それだけじゃ、ダメなのかもな」

「──わたしたちも?」

クラウドは答えない。

「ごめんね、変なこと聞いて」

「あやまるな。おれの問題だ」

クラウドは目を閉じる。

「一緒に、がんばろうよ」

ティファはクラウドの答えを待ったが、それは朝まで待っても聞けなかった。


それからほどなくクラウドがデンゼルを連れてきた。バイクと一緒に置きっぱなしにしてあったクラウドの携帯電話を使って、店に電話をかけてきた男の子だった。

電話に出たティファは、まずクラウドの身を案じた。しかしすぐに、少年の様子がおかしいことに気づいた。やがて少年の声は聞こえなくなり、クラウドが出た。状況を聞こうとすると、クラウドはなぜか口ごもった。

「どうしたの? その子、だいじょうぶなの?」

「いや──辛そうだ」

「だったら、うちに連れてきたら?」

「この子は──星痕みたいだ」

クラウドの言葉に、ティファはすぐに返事ができなかった。星痕症候群はライフストリームがメテオを撃退したあの日以来、世界中に蔓延《まんえん》している病気だった。治療方法はまだ見つかっていない。症状は人それぞれで、病気だとは思えないほど元気な者もいるし、すぐに死んでしまう者もいる。そして、ティファにとって最も重要だったのは、星痕は伝染するという噂だった。家族の誰かにうつるかもしれない。ティファは経験的に——噂どおりなら、世界中に健康な人はいなくなってしまう——伝染しないと信じていたが、それでも不安はあった。また、噂は根強く、真実はどうあれ、店にも影響があるかもしれない。しかし、一度、うちに連れてこいと言ったのに、星痕だからダメだとは言えなかった。

「星痕はうつらないと聞いている」

クラウドがティファの迷いを察したように言った。そして気づく。クラウドはその子をうちに連れてきたがっている。

「うん、連れてきて」

「裏口から入れる。それから、マリンを預かってくれそうな人はいるか？」

「うん」

電話を切ったティファは、クラウドが店やマリンのことを気づかっていることを不思議に思った。やがて理解した。クラウドはティファが反対すると考えた。それでも連れてきたかったのだ。理由が知りたいとティファは思ったが、実際にデンゼルが連れてこられて、その世話をするうちに、疑問はどこかへ消えてしまった。

デンゼルの体力が回復すると、ティファはここに至るまでの経緯を聞いた。そして、デンゼルはここへ来るべき子供だったのだと思った。デンゼルの両親はミッドガルの七番街が破壊された時の被害者だった。七番街が破壊された原因は、アバランチにある。だからわたしは責任

を持って、この子をきちんと育てあげなくてはならない。デンゼルは、わたしの所へ来るために
クラウドと出会ったのだ。

ティファはデンゼルを家族に迎え入れたいとクラウドに相談した。クラウドは黙ってうなずき、預けられていた常連の家から戻ったマリンは、とても喜んだ。

デンゼルは、最初のうちは、あくまでも一時的に世話になるという態度を取っていたが、店やクラウドの仕事を手伝ううちに次第に心を開いていった。

店に来る客は日に見えて減っていた。理由はわかっていたが、ティファとクラウドはもちろん、マリンもけっしてそれを口にしなかった。

夜、店の営業が終わって、厨房《ちゅうぼう》の後片付けをしながら顔を上げると、真ん中のテーブルにストライフ・デリバリー・サービス社長のクラウド、そしてアシスタントのマリンとデンゼルの姿があった。デンゼルは星痕に苦しめられていたが、痛みや熱が出ない日もあり、そんな時はクラウドにまとわりつくようにして過ごしていた。クラウドは仕事で一日の大半を外で過ごすので、帰宅後の時間はデンゼルにとってヒーローと過ごす大切な時間だった。そう、デンゼルにとってクラウドはヒーローだった。突然星痕の症状が出て死の恐怖と戦っていたデンゼルを助けたのがクラウドだったという出会いはもちろん、身のこなしや乗り回しているバイク、全てが憧《あこが》れの対象だった。デンゼルは何でもクラウドに聞きたがった。ティファに答えられる質問もクラウドの帰宅を待ってからするくらいだった。一度ティファは冗談半分に、毎日ご飯を

作っているのはわたしだと言ったことがある。デンゼルは大人ぶった口調で、ぼくだって毎日店と家の掃除をしていると言った。確かにその通りで、デンゼルの掃除ぶりは徹底していた。亡くなったお母さんに教わったのかと聞いたら、違うとだけ答えて黙り込んでしまった。後日、ティファはクラウドから、デンゼルの掃除の師匠のことを聞いた。クラウドには話していたのだった。これにはティファも腹を立てた。

　どうしてクラウドには話して、わたしには話さないのかと悩みさえした。ある日、年配の常連客にその話をして、どう思うかと聞いてみた。答えは、男の子はそんなもんだよというものだった。何の問題もない、普通の家族じゃないか、と。その答えに納得したわけではなかったが、普通の家族という言葉にティファは安堵した。閉店後のテーブルに陣取った三人は、少し若い父親と子供たちと言ってもおかしくなかった。自分もその気になれば、いつでもそのテーブルに笑顔で迎えてもらえる。

　クラウドは地図を広げて翌日の仕事の予定、主に配達ルートの確認をしていた。デンゼルとマリンは伝票の整理。マリンは読めない字があるとデンゼルに聞いた。デンゼルはお兄さんぶって、マリンに教えた。デンゼル自身にも読めない字はクラウドに聞いた。クラウドは読み方を教え、それからペンを渡すのが習慣だった。書かないと覚えないからな、と言った。子供たちは伝票に記された地名を見ては、そこはどんなところかとクラウドに聞いた。クラウドの説明は簡潔だった。人は多い。人は少ない。モンスターが多いから危険だ、北ルートが安全だ。それだけ？　と思うような説明だったが子供たちは満足しているようだった。ティファはつい口を出したくなる。補足説明をするとデンゼルはクラウドに本当かと聞く。少し腹立たしいが、それでもいいと思った。普通の家族ってそんな感じなのだろう。

デンゼルの登場で、我が家は本当の家族になれたのではないかとティファは思った。クラウドは明らかに仕事を減らしている。夜は必ず子供たちとの時間を持つようにしていた。ティファとの間には日常の他愛のない会話も復活した。

「問題は解決したの？」

「どの問題だ？」

「あなたの問題」

「ああ――」

クラウドは考え込んでしまった。

「言いたくないなら、いい」

「うまく説明できないけど――」と前置きをしてクラウドは話し始めた。

「問題は解決していない。いや、解決することはずっとないんだと思う。失われた命は取り戻せない」

ティファは黙ってうなずいた。

「でも、今、危機に瀕《ひん》している命を救うことならできるかもしれない。それなら、おれにもできるかもしれない」

「デンゼル？」

「ああ」

「ねえ、デンゼルを連れてきた時、あなたが言ったこと覚えてる？」

「なんて言ったんだ？」

「いろいろ。わたしが反対しても、この子は連れて帰る。そう決めてる感じだった」

「それは——」クラウドは、いつかのように、叱《しか》られると思っている子供のような顔をしていた。

「言ってみて。怒るかどうかは聞いてから決める」

クラウドはうなずいてから続けた。

「デンゼルは——エアリスの教会の前で倒れていた。だから、エアリスが、おれのところにデンゼルを連れてきたんだと思った」

それだけ一気に言うとクラウドはティファから目をそらした。

「教会へ行ったんだ」

「隠すつもりはなかった」

「隠してた」

「悪かった」

「ダメとは言ってないでしょ。でも今度はわたしも一緒に行く」

「うん」

「それにクラウド、あなたは間違っている」

クラウドは怪訝そうな顔でティファを見た。

「エアリスはあなたのところへデンゼルを連れてきたわけじゃない」

「ああ、おれがそう思っただけだ」

「そういう意味じゃなくて」

「エアリスは、わたしたちの家にデンゼルを連れてきたのよ」

　クラウドはティファを見つめ、やがて微笑んだ。


　そんな会話があってから数日後に、クラウドは出ていった。あの微笑みが見せた未来は幻だったのだろうか。ティファは子供たちの寝顔に口づけをしてからクラウドのオフィスに入った。家族で撮った写真にうっすらと積もった埃《ほこり》を払ってから電話をかけてみる。数回の呼び出し音の後、電話は留守番サービスに切り替わった。

女は古代種だった。だから、ライフストリームの中でも自分を維持することができた。望めばいつでも星の一部になることは可能だったが、女はそれを求めるのはまだ早いと思っていた。

女は星を巡るライフストリームの中に異質な存在を感じていた。けっして星と交わろうとはしない強固な意志の力だった。女はその意志を知っていた。自分の命を奪った男。美しい容姿に秘められた無慈悲な精神。その精神がライフストリームの中で活動をしている。女は、男が地上に影響を及ぼそうと企《たくら》んでいることを感じていた。女は自分に何ができるだろうと考えた。

接触するのは危険だったので、女は男の意識から遠ざかるようにしていた。そのせいで、男の思惑を詳しく知ることはできなかった。しかし一度だけ、不意に近くに現れた男の精神から、男がクラウドの記憶を、その核としていることを知った。

クラウドは女の友人であり、恋人であり——大切なものの象徴であり、守るべき存在だった。

On the Way to a Smile

EPISODE: BARRET

FINAL FANTASY VII

あの日。運命の日から数ヵ月後。バレットはティファとクラウドの家造りを手伝った後、親友ダインの遺児、マリンを二人に託して旅に出た。過去に自分が犯してきた罪に対する落とし前をつける旅だった。マリンと一緒にいられることで心が安らぎ、あと一日、もう一日と行動を先延ばしにしている罪悪感もあった。目的などなくても、自分は旅立たなくてはならない。心のよりどころから離れ、荒野に身をさらさなくてはならない。義務感に突き動かされたような「とりあえず」の出発だった。

バレットは時折、ティファ——彼女もまたバレットと同じ罪を背負っていた——に贈った言葉を思い出す。

「奪うだけではなく、与えることもできると証明するんだ」

そうすることが彼女の贖罪《しょくざい》につながるはずだと考えた。しかし、自分の言葉は自分を慰めはしない。バレット自身は旅に出てもなお、何をすべきかわからずにいた。

半年ほど世界を歩き回った。ミッドガル以外の地域では星痕《せいこん》症候群の問題を除いて、概《おおむ》ね日常を取り戻していた。違いは魔晄《まこう》がほとんど使われていないこと。魔晄炉は一基も動いていなかった。それはかつてバレットたちが反神羅《しんら》活動の中で思い描いていた状態と言ってもよかった。満足感よりも戸惑いの方が強かった。右手に銃を取り付けた男の居場所は戦いや混乱の中にしかない。それが無くなってしまえば、罪を償う機会も失われてしまうのではないだろうかと、焦りすら感じた。

戦いを求めて森をさまよい、襲い来るモンスターを倒したこともある。無我夢中で戦った後に、これではただのストレス解消ではないかと自己嫌悪に陥った。そんな時、バレットは決まって叫んだ。

「うおー！」


ジュノンの人混みを歩いていた時のことだった。右腕の先に何かがぶつかった気配を感じて下を見ると、幼い子供が額から血を流して泣いていた。慌てて手当をしてやろうとすると母親らしき女が駆け寄ってきて言った。

「お願いします。子供は許してください。お願いです。なんでもしますから」

その母親の目はバレットの右腕に装備されたマシンガンに釘付《くぎづ》けになっていた。平和な時代の中で、おれはモンスターと同じなのだと思った。時代は変化している。新しい時代にふさわしい償い方を考えなくてはならない。その方法が見えたわけではないが、まず自分も変わるべきだと思った。


バレットはコレル村に住むサカキ老人を訪ねた。その、白髪を短く刈り込んだ小柄な老人は、コレル村で坑夫が使う、様々な機械や道具のメンテナンスを一手に引き受けていた技術者だった。村人が炭鉱を捨て、魔晄炉を選んだ時に理由も告げずに村から出ていったが、神羅が村を見捨てるのと同時にコレルに帰ってきた。以来、他の村人とは距離を置いて暮らす偏屈な老人として知られていた。

ある日、サカキ老人が、義手を作らせてくれとバレットに言ってきた。老人から話しかけてきたことにバレットは戸惑った。しかも、その申し出の理由は、義手は作ったことがないからというものだった。わけがわかんねえ——と思ったが、右手が無いことに慣れることができずにいたバレットは、タダなら頼むと、条件付きで受け入れた。

第一号は先端がフックになった単純な形だった。バレットは不満だった。もっといろんなことをしたい。例えば土を掘ったり——老人はシャベル型の義手を作ってくれた——木の杭《くい》を打ち込んだり——ハンマー型の義手も用意してくれた。しかしどれも満足できなかった。

ある日、サカキ老人が不満をまくしたてるバレットに言った。

「おまえの頭ン中は神羅への復讐《ふくしゅう》でいっぱいだ。何をつけたって満足できないさ。おれはもう関わりたくない。これをやるからもう来ないでくれ」

老人が押しつけるように差し出したのは、腕の先端に道具を取り付けるためのアダプターだった。それを使うことで、バレットの右腕には様々な義手、あるいは武器を装着することができるようになる。

「何を装備しようとおまえの勝手だが、よく考えるんだな」

老人の忠告にも拘《かか》わらず、バレットはほとんど何も考えなかった。それから数年間、バレットがこのアダプターを使って取り付けたのは武器だけだった。手に入った武器を手当たり次第に試しては自分の攻撃力を高める日々が続いた。

バレットは久しぶりに会った老人に、挨拶《あいさつ》もそこそこに、新しい義手を作ってくれと言った。手の形をした、柔らかい色の義手。それを見ても誰も怖がらない、日常に紛れ込むことができるような義手。サカキ老人はフンと鼻を鳴らしてバレットを見つめるだけだった。

「おれは戦うだけの男じゃない。怖がられるのは、もうゴメンなんだ」

「それで？　おまえさんは何者になろうってんだ？」

「だからよ――」バレットは答えようとしたが、自分の中のどこにも答えは無かった。笑顔を取り戻しつつある世界に紛れ込んで、おれはいったい何をするつもりなんだ？

「ああっ！　わかんねえ！」


「一週間ほどかかるが、いいか」

「わかった。じゃあ、おれはその間――」

ここで待たせてもらうと言いかけたバレットを老人は遮って言った。

「もし予定がないなら甥《おい》の仕事を手伝ってやってくれないか？　報酬は、そうだな――」

「いいよ、そんなもんはよ」

「まあ、考えておくさ」

翌日、バレットはサカキ老人の甥が運転するトラックに乗っていた。バレットが子供の頃にはまだ方々で活躍していたタイプだった。石炭を燃やしてボイラーの水を温め、発生した蒸気で動くエンジンが付いている。

ハンドルを握る運転手、エンジンの出力を調節するエンジン係、そして石炭を燃焼室に送り込むボイラー係が二人、計四人が協力しあって走らせていた。大きな車体の後部には大人が十人ほど乗ることができる荷台がついている。五人分のスペースを石炭が占め、残りのスペースのうち二人分をバレットが占拠していた。

仰向けに寝転がって空を眺めながら、それにしても遅い、とバレットは思う。しかし、誰のせいでもない。蒸気エンジンの大型トラックは昔からこの速度で走っていた。男たちは汗を滴《したた》らせて懸命に働いている。人も機械も全てが力の限りに働いていた。

中年のボイラー係が休憩のために荷台にやって来た。

「いらついてるところ、悪いな。ちょっと邪魔するぞ」

「別にいらついてねえからよ」

「いらいらが皮膚から滲み出てるぜ」

バレットは上半身を起して相手を見つめた。

「なんだよ、てめえ」

「ほらな」

しばらく二人は黙り込んだ。やがてボイラー係が口を開いた。

「あんたさ、ずっと、おれたちのボディガードやるつもりなのか？」

「爺《じい》さんに頼まれただけだ。先のことはわかんねえ」

「あんた、むいてねえもんな」

「ボディガードに？　おれほどむいている奴《やつ》はいねえだろうが」

「どうかねえ――」

それだけ言うとボイラー係は黙り込んだ。バレットは続きを待った。この男には、おれはどういう奴に見えているんだ？

「なあ、続きを聞かせろよ」

もしかしたら、この男が、おれの人生のヒントをくれるのかもしれないとバレットは思った。

「どういうタイプに見えるんだ、おれは」

「あんたは向かってくるモンスターを倒すんじゃなくて、モンスターの巣をぶっ壊しに行くタイプだ」

なるほど、そうかもしれない。

「たとえその巣がどこにあるのかわからなくてもな」ボイラー係は笑って言った。

「バカみたいじゃねえか」

「なかなかできることじゃない。誇りに思ってもいいんじゃないか？」

バレットは相手の顔を見つめてへへへと笑った。ボイラー係は怪訝《けげん》な顔でバレットを見返す。

「相談してもいいか？」

「内容による」

「おれはな、罪を償いたいんだ。そのために旅をしている。でも、いつまでたってもその方法がわからねえ。おれは多分、あんたが言った通りの男だ。そんな奴にできる償い方って、どんなだと思う？」

「まあ、罪の種類にもよるな」

「――おれのせいで数え切れないほどの人間が死んでしまった」

バレットはアバランチの仲間たちと壱番魔晄炉を爆破した時のことを思った。予想を遙《はる》かに超えた被害。パニックになった街。死んでいった仲間たち――見知らぬ市民たち。

黙り込んでしまったバレットにボイラー係は言った。

「生き抜くしかねえよな、そりゃあよ。こうすれば償いになると思ったことを片っ端からやってみればいいんじゃないのか？」

「やっぱり、そうだよな――」

「モンスターの巣がわからなくても、ぶっ壊しに行くんだよ、あんたは。そのうちモンスターも消えちまう――おい、ほら！」

ボイラー係はトラックの後方を指さした。小型の不気味なモンスターが追いかけて来ている。バレットはそのモンスターに右手の先を向け、狙《ねら》いを定めることもなく撃つ。バリバリという、弾丸が連続して発射される音とともにモンスターの身体は砕け散った。

「すげえな――モンスターも災難だぜ」

たいしたことじゃないと言おうとして相手の方を振り返ったバレットはボイラー係の視線が自分の右手に向けられていることに気づいた。ジュノンで出会った女と同じ目だった。

モンスターは自分の方なのかもしれない。

「モンスターの巣は、おれの中にあるのかもな」

ボイラー係は何も言ってはくれなかった。

トラックの目的地は小さな村だった。畑で芋を作って生計を立てているらしい。出発した時の半分ほどに石炭が減ったトラックの荷台に、芋の麻袋が次々と積み込まれる。バレットは作業を手伝いながら思う。この芋は街で売られる時、幾らになっているのだろう。村が決めた芋の値段にトラックの連中の報酬も上乗せされるに違いない。ミッドガルでは食料品の値段が問題になっている。いくら非常時でも高すぎるのではないか。バレットもそう感じていた。しかし、こうして大勢が働いている様子を見るとそれも仕方がないと思えてくる。魔晄の供給がストップしてからは、エンジン付きの農具はほとんど使えなくなってしまった。芋を作る苦労は並大抵ではないはずだ。

「お！」バレットは思わず声をあげた。機械が使えないなら、人が身体を動かすしかない。人なら沢山いる。ミッドガルには仕事が無くて食べ物の入手に苦労している連中が大勢いるではないか。そのあたりに生えているものを食うのもいいが、それではすぐに食料は尽きてしまうだろう。やっぱり種をまいて、あるいは苗を植えて育てなくてはならない。家畜だって育てなくてはならない。

「おお――」

そうだ。みんながその気になれば、少なくとも食料に関しては何不自由なく暮らせる日が来るに違いない。機械が必要な時はあのトラックのように石炭だ。これからは魔晄の前の時代に戻るだけだ。ちょっと貧しいかもしれない。物事がゆっくりとしか進まない時代かもしれない。

せっかちな自分には耐えられないかもしれない。でも、そうするしかない。いや、時代はそう変わっていく。

バレットはまっすぐに辿《たど》り着いた「おれの考え」に満足して微笑《ほほえ》んだ。そして、自分にできることはなんだろうと思いを巡らせた。まず右手に鍬《くわ》を装着して耕す。パワフルな身体を活かして他人の五倍は働く。いや、新しい時代を作るにはリーダーが必要だ。それがおれの役目か？

バレットの思考は加速していく。指示を飛ばしている自分の姿を思い浮かべる。そして聞き逃すまいと聞いている仲間たちの姿。

「わかったわ、バレット！」

部屋を飛び出していくジェシー。続くウェッジとビッグス。自分がアバランチのリーダーだった頃の光景が思い浮かび、明るい未来の風景が一瞬にして深い後悔に変わった。

「うおおおおお！」バレットは叫んだ。

しまったと思って周囲を見回す。しかし誰もバレットを見ていない。一同は、一軒の家の前で、サカキ老人の甥が、村人らしい中年の男と話している様子を見つめていた。バレットも会話を聞こうと歩き出す。

「娘さんをミッドガルまで運ぶのはかまいません。でも、ずいぶん弱っているみたいですから――間に合わないかもしれません」

「しかし――」

中年の男は背中に若い娘をおぶっている。娘はぐったりとしている。美しい娘だ。しかし腕から黒い液体がぽたぽたと滴り落ちている。忌まわしき星痕症候群。しかも相当悪そうだ。それはバレットが最も嫌う場面だった。いま、そこに危機があるのに自分は何の役にも立たない。

バレットはミッドガルに行ってもまともな治療法などないことを知っていた。教えてやった方がいいかもしれない。この村でゆっくり最期を迎えた方がいいのではないか。だが、それを告げることはあの親子の希望を奪うことでもある。何も言わずに黙って成り行きを見守っているしかないのか。バレットは叫びたくなる。

「ミッドガルに行っても無駄なんだろ？」いつの間にか近くにいたボイラー係が呟《つぶや》いた。

「たぶんな」とバレット。

「じゃあ、教えてやるか」と親子に向かって歩き出すボイラー係。その背中にバレットは声をかける。

「待てよ」

しかし男は耳を貸さない。バレットは、ボイラー係の言葉が、親子を絶望させる前に止めようと後を追う。ボイラー係は振り返ってバレットに言う。

「気が済むならミッドガルに行かせてやればいいと思ってるんだろ？　たとえ無駄でもな」

「――おう」

「飛空艇でもあれば別だが、おれたちにはトラックしかない。荷台は熱くて大変だ。知ってるだろ？　それが原因で死期が早まったらどうする？」

「――でもよう」

「いいよ、おれが言ってやるから。あの父親の希望は消えるかもしれない。だが、娘の最期は家の方がいい」

自分とボイラー係のどっちが正しいのかわからなかった。考えなくてはいけない。思考が堂々巡りを始め、バレットはまた叫びたくなったが我慢した。

やがてボイラー係は会話に参加することなく戻ってきた。

「たった今、息を引き取った」

「なんだと！」

「――なあ、あの娘の最期の言葉を聞きたいか？」

聞きたくない、と思ったがボイラー係は続ける。

「ミッドガルへ連れていってください、だ」

おれが間違っていた、とボイラー係は握り拳《こぶし》を嚙《か》んだ。

「うおおおおお！」バレットは叫ぶ。

「誰も間違ってねえよ！」

やり場のない怒りに身を任せて右手を空に向け、バレットは銃を発射した。バリバリという音が静かな村に響き渡った。


バレットは村に残り、死んだ娘が埋葬されるのを見届けた。憔悴《しょうすい》した父親に力になれることはないかと聞いた。

「飛空艇があれば」とその父親は呟いた。「わたしはゲルニカ飛空艇の乗務員だったんだ。あれがまだ飛んでいれば娘は死なずにすんだかもしれない。ここからミッドガルまでほんのひとっ飛びだからな」

「おやじさんよう」言わなければならないとバレットは思った。「気持ちはわかるけどミッドガルでも星痕は治せないぜ」

もしこうだったら。もしああだったら。仮定の世界と現実が違うことを考え始めると、明日を見定めることが難しくなる。それはバレット自身が体験したことだった。この父親のように、自分の力ではどうしようもなかったことを悔いるのは、もっといけない。過去は変えられないのだ。バレットが言葉を探している間に父親が話し始めた。

「ミッドガルじゃなくてもいい。他の場所でもいいんだ。そこで星痕が治ると聞けば何処《どこ》へだって患者を運べるだろ？　だから飛空艇があれば、少なくとも準備にはなる」

「準備？」

「星痕に苦しむ者は娘だけじゃない」

娘を亡くしたばかりの父親はしっかりと前を見ていた。


トラックに芋を積み込みながら思い描いた未来の姿はすっかり色あせてしまった。飛空艇や、その他の便利な機械がほんの少し動いていてもいいじゃないか。現にミッドガルではたくさんの作業用の車両や機械を使っている。ミッドガルには、かなり豊富な魔晄以外の燃料が貯め込まれていた。これは住民一同が驚いたことだったが、神羅カンパニーは、自分たちが隠し持っていた燃料を、住民に定期的に配給していた。同時に、魔晄用だったエンジンは、人々の工夫で次々と他の燃料用に改造されていた。出力は下がったが、誰も不満は言わなかった。

それなら、飛空艇だってありだろう。魔晄以外では飛べないというなら、魔晄を使えばいい。ほんの少しなら大丈夫だ。浪費しなければいい。時代は変わる。ならば、おれも変わる、とバレットは思った。

＊　　＊

ロケット村の東、さほど遠くはないところに草木がほとんど生えない、砂漠のような土地が広がっている。そこには高さ十五メートルほどの油井櫓《ゆせいやぐら》と併設された、小規模な製油施設がある。かなり古い施設だった。数人の男女が櫓を見上げている。その中に白衣を着たシエラがいた。

隣に立っている作業着の男が言った。

「一月前と比べると七〇パーセントダウン。どうもマズイね、これは。それで、そっちの方は？」

「わたしたちの方は完成。魔晄並みとは言えないけど、かなりいい線まで精製できるわ」

「あんたならやると思ったよ。でも原料がなけりゃなあ」と、男は地面に視線を向けた。

つられてシエラも地面を見る。地中で石油をかき集めるべく唸《うな》りを上げているであろう搾油用ドリルパイプを思い浮かべた。

「もう少し、お願い」

シエラは両手を合わせて祈った。左手の甲に染みついているのは油ではなく、星痕だった。

＊　　＊

ロケット村はかつて神羅カンパニーの宇宙開発基地だった。当時の技師たちがそのまま住み着いてちょっとした村のようになっている。

バレットが村に入ると遊んでいる子供たちの姿が見えた。マリンと同じ年頃の子供もいる。バレットは思わず目を細めた。

「何して遊んでるんだ？」と声をかけた。子供たちの視線が集まる。

「おじさんも仲間に入れてくれよ」

子供たちは逃げていく。バレットは舌打ちして自分の右手を見る。

「新しい義手ができるまでの我慢だ」

「その銃がなくてもあんたは恐いよ」後ろから誰かが声をかけてきた。

「あんたは――」バレットは思い出せない。

「覚えていなくても仕方ない。ハイウインドのスタッフさ」

ハイウインドはバレットたちが星を救う旅の途中で乗り込んだ飛空艇の名前だった。

「おお、あの時は世話になったたな」

「どういたしまして」

バレットは早速シドのところへ案内してくれるように頼んだ。歩き出すと、村はずれから金属を打ち付けるような音が聞こえてきた。

「休憩時間終了だ。おれも急がなくちゃ」

「何やってるんだ？」

「決まってるだろう。ここはシドと仲間たちの村だからね」

「飛空艇か？」

「ほら！」

家並みが終わり、視界が開けると巨大な、かつてのハイウインドのような飛空艇が建造されている様子が目に入った。

「すげえ！」

飛空艇は粗末な作業用の足場で囲まれている。安全対策は万全とは言えそうにないその足場の上で、二十名ほどの村人が作業をしていた。外装の金属プレートをハンマーで叩《たた》いて成形するけたたましい音が響き渡る。飛空艇はほぼ完成しているように見えた。

「完成じゃねえか」

「格好だけはね。見なよ」

男が指差した先を見るとまだエンジンが取り付けられていないことがわかる。

「魔晄はもう使えないからね。エンジンはちょっと時間がかかる」

突如爆発音が響き渡る。バレットは慌てて身を伏せる。

「艇長はあっちにいるよ」かつての名前も知らない仲間は飛空艇の向こう側に見えるガレージを指さしながら言った。


ガレージの中には飛空艇用と思われるエンジンが一基、作業用ベンチに設置されていた。それを遠巻きに見ている男たち。皆、ゴーグルをしている。もう一度爆発音。ひるむバレット。男の中のひとりがゴーグルを放り捨ててエンジンに駆け寄る。

「くっそぉ！」

シドはエンジンに嚙みつかんばかりに顔を寄せて調べ始める。

「クソッタレが！　てめえ、鉄くずにしちまうぞ！」

久しぶりにその汚い言葉を聞いてバレットは微笑む。変わってねえな、奴は。シドはさらに乱暴な言葉を吐き出しながらバレットの方にやって来た。

「そんなこと言ってるとな、神様に叱《しか》られるぞ」バレットが声をかける。シドは喜ぶでも懐かしむでもなく言葉を返してくる。

「神様だ？　連れてこいよ。おれ様が説教してやるぜ」


二人は近況を報告しあった。

「マリンはティファに預けた。なついてたからな」

「そりゃいい。世界中が賛成するぜ。で、クラウドはティファと一緒なのか？」

「おう。ティファは昔みたいに店を開いた。クラウドはそこを手伝ってたんだが、今は自分の商売で忙しいらしい。荷物の配送だとよ」

「クラウドが？　商売？」

「ティファがケツ叩くんだろうよ」

「なるほど。結局よ、女なんだよな、強いのはよ」

「シエラはどうしてる？」

「まあ、相変わらずだ」シドは言葉を濁し、話題を変えようとした。

「で、何の用だ？　おれ様は忙しいんだ」

「飛空艇を作ってるんだろ？」

「まあな」

「おれにも手伝わせてくれねえか？」

「はあ？　ドシロートに何ができる」

いつもなら腹を立てるところだがバレットは聞き流し、自分が体験したことを話した。

「飛空艇がありゃー、おめえ、助かる命が沢山あると思うんだよな。例えば星痕の患者。誰かが治療法を見つけたら、そこへ一気に運ぶ。治療できる奴をあちこちに連れて回ることもできる。食料だって沢山運べる。生きるのに必要なものはなんだって運べるだろ？」

「簡単に言ってくれるじゃねえか」シドはバレットにグイと顔を近づける。「魔晄使うぞ、魔晄。飛空艇でひとっ飛びするのにどんだけ魔晄エネルギーを使うのか知ってるか？」

「知らねえ。でもよ」バレットは道中考えていたことを話した。欲張らなければいいのだ。魔晄を使うことは星の命を縮めることだ。確かにその通り。これはずっと将来も変わらないだろう。しかし、ほんの少し。おれたちが生き延びるのに必要な分だけなら星も許してくれるんじゃないだろうか。

「ケッ、アバランチのリーダーがずいぶん変わったもんだぜ」というのがシドの反応だった。

バレットは何も言い返せなかった。過去との折り合いについては、自分の答えを持っていたはずだった。しかし改めて指摘されると言葉に詰まった。胸の中にもやもやしたものが溜《た》まってきて右手を掲げた。銃を発射しようと思ったが室内であることに気づいて止めた。しかし叫んだ。

「うおおおおお！」

室内にいた者たちがバレットを見る。

「悪い、気にしないでくれ」バレットは努力して作った笑顔で周囲に言った。そしてうつむいて言葉を探した。言葉の代わりに過去の情景が浮かんできた。ビッグス、ウェッジ、ジェシーの生真面目《きまじめ》な顔。なんとか言ってくれよ。おまえら、おれを責めろよ。

三人の姿を振り払うように首を振ってから顔を上げた。シドがかすんで見えた。

「なんだてめえ――」シドは驚いてバレットを見返している。

「シドよう、教えてくれよ。どうしたらいいのかわかんねえんだよ。おれの過去は間違いだらけだ。でも正しいことだってあったはずだ。でもよ、何が正しかったんだ？　何が間違いだったんだ？　これから、どのおれでいればいいんだ？　いや、おれは変わりてえ。過去があるからダメか？　え？　おれはずっと右手に銃を付けて、子供たちを怖がらせていればいいのか？　そしたら罪は償えるのか？　もうわからねえ。助けてくれよ――おれはどうしたらいい？」

ついにバレットは天井に向かって銃を発射した。幾つもの穴が開いた。シドはその天井を見上げて言った。

「まずな、直せ、あそこ」


バレットが汗を流しながら天井の穴を修理しているところへシドがやって来た。バレットは気づいているが気恥ずかしく、無視して作業を続けた。

「落ち着いたか」

シドは少し離れた場所に腰を下ろして言った。

「――悪かった」

シドは気にするなというように首を振った。

「おめえに手伝って欲しいことがある」

バレットは手を止めてシドを見つめる。

「まずな、魔晄。おまえが言ってた通りだと思う。必要な分だけ、ほんの少し星からもらおう。おれたちもそう思っていた。実際、飛空艇は役に立つ。特に世界中が復興しようとしている時にはな。いつか、もう必要ないって言われたら、どっか見晴らしのいいところに停《と》めて、おれ様の家にでもするさ」

続けてシドは現在のエネルギー事情について語った。世界中の魔晄炉は今のところ止まっている。それはけっして魔晄が星の命を縮めるから使ってはいけないと皆が反省したからではない。もちろん魔晄炉を運営していた神羅カンパニーにその力が無くなったという現実的な問題もある。しかし魔晄炉が再起動されない本当の理由は——

「魔晄エネルギーはライフストリームを吸い上げて使っていたことは今じゃ誰でも知っている。そのライフストリームの恐ろしさを、あの日、みんなが体験したからな。恐いんだ。星の怒りがよ」

バレットはミッドガル上空に迫り、星を破壊する寸前のメテオを、ライフストリームが消し去った時の様子を思い出した。人がけっして生み出すことができないであろう圧倒的な力。

「もう誰も魔晄には近づきたくないのさ」

「魔晄エネルギーはもう作れないってことか？」

「ああ。多分な」

「でもよ、魔晄炉の一基くらいたまに回してもいいんじゃねえのか？　いくら恐くたってよ」

許せ、ビッグス、ウェッジ、ジェシー。

「もうあそこじゃ魔晄は出ねえよ。ライフストリームの流れが変わっちまった」

「調べたのか？」

「ああ。ま、そんなに本格的な調査なんてできねえけどな」

バレットは言葉を失った。星がもう魔晄を使ってはいけないと言っているのだ。

「どっか別の場所に魔晄炉をブッ立てるってなら話は別だが、その場所探して、必要な資材を運んで——いつできるかわからねえ。その資材だってどうやって運ぶって話だ」

「ダメじゃねえか」

「備蓄してある燃料が無くなったら終わりだ。世界は石炭の時代に逆戻り。なつかしの蒸気トラックでちんたら走るしかねえ。地上最速の乗り物はチョコボですなんて時代よ。ま、それも悪くない」

「あきらめて暮らすのかよ。後ろ向いて暮らすってのか。確かにバカでかい失敗だったぜ。同じ道を進まないのは正しいかもしれねえ。でも、だからって立ち止まるのか。別の道を探ってもいいんじゃないのか」

「ちゅーわけでよ、石油だ」シドはニヤリとして言った。

「石油って、あの役立たずの？」

炭坑で働いていたバレットにとって石油の登場は脅威だった。しかし結局はほとんど使われることはなかったはずだ。

「石油が役立たずなのはな、魔晄ができたからだ。本当なら石油が時代を引っ張るはずだった。

石油からいろんな燃料を作り出す技術だってキチンとあったんだ。でもな、魔晄が登場してから、その技術は全部魔晄用として進歩していった」

　だから石油は歴史から消えてしまったのだ。

「でもな、今でも役に立たないなんてことはない。神羅が細々と掘り出して貯め込んでいたのがその証拠だ。でな——おれたちは油田を探した。でも、神羅が使っていたのは海底のやつでよ——」

「潜水艦がいるのか！」

「それも魔晄じゃねえと動かねえ。それに動いたとしてもダメだ。ライフストリームが送油管ごとぶっ壊しちまった」

「くそっ！」

「まあ、諦《あきら》めるなってハナシだ」

　シドたちは古い記録を引っ張り出して、別の油田の場所を知った。幸いそれはロケット村からそれほど離れてはいなかった。そこには石油を掘り出す施設とガソリンを精製する施設が半壊状態ではあったが残っていた。シドと仲間たちはその施設を使用可能な状態に修復した。しかしガソリンではパワーが足りない。

　さらに強力な燃料が必要だった。そのための努力が続き、やっとジェット燃料を作れる目処《めど》が立ったところだった。また、エンジンを燃料に合わせて改造する作業も平行して進められていた。しかしこちらはなかなかうまく行っていない。

「おまえら、それをいつから——すげえぞシド！　すんげえ！」

「だからよ、新しい技術なんかなんもいらない。おれたちがやったのは昔の技術を今に蘇《よみがえ》らせることさ」

「どっちにしても石炭は終わってたってことか」

炭坑の村で生まれ育ったバレットにとっては複雑な心境だった。

「時代は変わる。おれたちはその変わり目に生まれ合わせたってわけよ」

「なんとも言えねえ気分だな」

「ラッキーじゃねえか、おめえ。いろんなことが試せる時代だぜ」

「ちげえねえ」

「アンラッキーなのはな――」

「なんだ？」

「いろんなことがありすぎてな、時間が足りねえんだ。クソッタレだぜ」


シドとバレットはロケット村から東に向かって旅をした。まる一日歩いて目的地に到着した。シエラが二人を出迎えた。

「よう！」バレットは久しぶりの再会を喜んだ。シエラは何も変わっていないように見える。しかしバレットはすぐに相手の手にできた星痕に気がついた。シエラはそれを察して手を隠した。

「どうだ、痛むか」シドがぶっきらぼうに声をかける。「無理するなよ」

――時間が足りねえんだ――バレットは思い出す。

シドは油井櫓を見上げている。動いている気配がない。

「なんてこった――」

シエラが状況を説明する。

「今朝止めたのよ。まだ出るかもしれないけど最初に掘った時の一〇パーセントまで落ちてしまったからポンプを止めてしまったの」

肩を落としてシドが呟く。

「最初の日はよ、ポンプ無しで噴き出したんだぜ。おれたちは油の雨で真っ黒んなって笑ったもんだ」

バレットは大きな溜息《ためいき》をついた。

「星はよう、おれたちになーんにもくれないのかよ」

「そんなことはない」とシエラがきっぱりとした口調で言った。

「星はいろんなものを用意してくれた。石炭、石油、魔晄だってそうなのかもしれない。わたしたちがまだ知らないものだってあるかもしれない。使い方を間違えなければ大丈夫。欲張らなければ大丈夫。工夫をすれば大丈夫。星は、わたしたちのことを気にかけてくれているはず。だって星を巡るライフストリームは、一度はこの地上に生きた誰かの命なんだから」

シドとバレットはその言葉を噛みしめる。

シエラは――バレットは思う――生きていても、星に帰ってもシドのことを気にかけるのだろう。シドも同じ。バレット自身も同じ。

「シエラ」それだけ言ってシドは黙り込む。

少したってからまた口を開く
「シエラ——燃料はどうだ？」

「大丈夫。エンジンの効率にもよるけど、星を一周くらいなら飛べる。試験飛行には十分な量だと思うけど、どう？」

「——エンジンがまだなんだ。うまくいかねえ。目処も立ってねえ。だからよ、シエラ」

「どうしたの？」

シドは黙り込んでいる。バレットは思わず口を挟む。

「シドはな、あんたにエンジン開発を手伝って欲しいんだとよ。ケツ叩いてやれよ。燃料作ったからって仕事はまだまだ沢山あるんだからな」

「わかってるわ」シエラはシドを見て言う。「わたしはまだ負けるわけにはいかないの」

バレットはまだ言い足りない。

「エンジン作った後も、やることはまだまだいっぱいだぞ」

シエラは微笑みで応《こた》えた。


一同は黙って油井櫓を見上げている。

「バレット」シドが呟く。

「油田、どっかにねえかな？」

「おう、まかせろ」

もう迷いは無かった。星よ。星を巡る命たちよ。おれを罰するというならいつでもやってくれ。でも、おれは力の限り抵抗する。おれを罰することができるのは今を生きている者たちだけだ。おれは生きる。生者たちの明日のために。

作業場に戻ったバレットにサカキ老人は注文通りの新しい義手を差し出した。木で作られた暖かみの感じられる義手だった。アダプターではなく直接腕に装着するようになっていた。バレットは、まず義手、続いて老人を見て言った。

「すまない。せっかく作ってくれたのに――おれは旅を続けることにしたんだ。石油が出る土地を探すんだ。誰も足を踏み入れたことのない、危険な場所へも行くことになるだろう。どんなモンスターがいるかわかったもんじゃない。だから武器がまだ必要なんだ。身を守るためだけじゃない。おれは戦うことをやめてはいけない人間だ。おれが戦うことで他の誰かが戦いを避けられるなら、それがおれの使命なんだ。それから、それが贖罪でもある」

いつになく理路整然としたバレットの話を聞いたサカキ老人は、一度奥へ戻ると、何かの包みを持って戻ってきた。開くと少しサビが浮き出た義手が入っていた。精巧に作られた鋼鉄の手。指も動くようになっているようだった。

「訓練次第で字も書けるようになる。うまく書けるかどうかはおまえ次第だがな」

「これは――」

「甥を手伝ってくれた手間賃代わりだ。でも必要ないようだから、おれが預かっておく」

「せっかく作ってくれたのに悪かったな」

「気にするな。作ったのはもう何年も前だ」

全部終わったら引き取りに来いと老人は言った。サビは磨いておいてやる、と。

サカキ老人に別れを告げてしばらく歩いてから、マリンに電話をすればよかったと思った。いや。全部終わったらまたここへ来て、爺さんが作ってくれたあの義手で手紙を書こう。その手紙を持ってマリンに届けに行こう。

バレットは叫びたくなった。

「行くぜ！」

心が命じるままに叫んだ。

　ライフストリームが地上に噴き出す時、男は最早意味のない記憶を星にくれてやった。少年だった頃の記憶、数少ない友の記憶、無自覚だった頃の戦いの記憶、かつてあった日々の生活の記憶——それらは奔流の一部となって、メテオを包み込み、やがて消えてしまった。同時に、精神の核と、それに強く結びついた思いは、幾筋もの奔流を乗り移って、大地を、街々を飛び回った。逃げ回る、あるいは唖然と立ちすくむ者たちが奔流に呑《の》み込まれる時、男は自分の刻印を相手に与えることにした。クラウドがその刻印に気づけば、自分はけして消えることはないと男は確信していた。クラウドがおれを覚えている限り、おれはいつでも存在することができる。ライフストリームの中であれ、地上であれ。たとえ自分の精神が拡散してしまうことがあっても、ほんの一片の記憶が星を巡っていれば、やがてクラウドの意識を頼りに自分を取り戻せると男は考えていた。

On the Way to a Smile

EPISODE:NANAKI

FINAL FANTASY VII

ギリガンよ消えてくれ。おまえは何者だ？　レッドⅩⅢことナナキは自分の心に巣くっている真っ黒な怪物を吐き出そうと、月に向かって吼《ほ》えた。夜の冷たい高原にナナキの遠吠《とおぼ》えが響き渡った。しなやかな尾の先で燃える炎が、赤い毛皮に覆われた全身を震わせて叫ぶナナキの姿を浮かび上がらせていた。

ナナキの遠吠えに応《こた》えるものはいなかった。それはいつものことだったが、今回ばかりは何かのサインのように思えた。おそらく、この問題はひとりで解決するしかない。ギリガンは自分の中にいる、自分だけの敵だ。

初めて存在に気づいたのは、ほんの数日前のことだった。ナナキは順を追って、ギリガンが生まれた——あるいは自分に取りついた経緯を思い返そうとする。

クラウドたちとともにセフィロスを倒し、星を救う旅を終えたナナキは、コスモキャニオンへ帰った。谷の人々は戦いを終えて帰郷したナナキを普段以上に歓迎し、旅の報告を興味深そうに聞いてくれた。ナナキの胸は誇らしい気持ちでいっぱいになった。

続いて父、セトに会いに行ったナナキは、ギ族との戦いで石化したまま谷を見守っている勇敢な戦士に語りかけた。

「父さん。父さんと母さんは谷を守った立派な戦士だ。だからオイラも同じようにここを守ろうとした。そしてたぶん、オイラ、できたと思うんだ。だからね、父さん。オイラはまた旅に出るよ。今度は戦いの旅じゃないんだ。世界中の命を見て回る。チョコボが生まれたり、木が枯れたり、ええと——とにかく、いろいろ、なんでも見てやるんだ。じっちゃんが言ってたんだ。そういうのを見続けて、ちゃんと憶《おぼ》えておいて、次の人たちに伝えるのがオイラの使命なんじゃないかって。そうだ——」ナナキは父の、石になってしまった目や耳を見つめて思いついた。「父さんにも報告するよ。うん、そうする」

続いてナナキは同じ事を谷の人々に報告した。今は亡きじっちゃん——ブーゲンハーゲンの最後の言葉に従って、自分はこの「世界を記憶する旅」を自分の新しい使命にする、と。谷の人々は、その旅は有意義なものになるだろうと、ナナキを励ましてくれた。そして、自分たちはいつでもここにいるからと、ナナキを送り出した。

高台の集落を出て、しばらく険しい道を下ってからナナキは振り返った。谷の人たちはまだ手を振っていた。ナナキはそれに応えるつもりで、地面に腰を下ろし、前足だけで立って頭を上げ、遠吠えをした。さようなら。また来るよ、元気でね。気が済んで、山を一気に駆け下りた。やがていつもの小さな岩の上に来た。そこはナナキがコスモキャニオンを出る時に、必ず集落を振り返る場所だった。この岩から降りると集落はもう見えなくなる。いつものようにナナキは振り返って、集落を仰ぎ見ようとするが——見えなかった。以前はなかったはずの大きな岩が視線を遮っている。ああ、とナナキは思い至る。ライフストリームがここを通ったのだ。その影響であの岩はどこかから落ちてきた。ところどころ地形が変わっていることは、帰ってきたときに気づいていた。改めて周囲を確認すると、昔から顔を出していた断層の一部がえぐれていたり、張り出していた岩棚が崩れ落ちたりしていた。仕方がない、とナナキは思う。誰が困るわけでもない。他の、例えばミッドガルのように修復困難なまでに破壊された街に比べると、この程度は何もなかったのと同じことだ。ナナキは小岩から飛び降りて、先へと進んだ。足下に集中して歩く。一歩。また一歩。やがてナナキは異変に気づいた。風景ではなく自分の身体の中——いや、心の中で起こった異変。ナナキは立ち止まり、目を閉じた。自分の心の中を探る。あった。これだ。なんだろう。言葉で説明しなくては、とナナキは思う。物事を理解するとは、少なくともナナキにとっては、そういう行為だった。これは——真っ黒だ。心の中に穴があいたようだ。いや、穴ではない。何か黒い「思いの塊」がそこにある。重たくて、何かがぎっしりと詰まっている。やがてそれが激しく震動し始めたのがわかる。形が変わるのだという予感がした。何に変わるのだろう——と思った時、ナナキは恐怖で全身を震わせた。

「——」声も出ないほどの戦慄《せんりつ》。ナナキは歯を食いしばって耐えた。いや、耐えられなかった。ナナキは大きく息を吐き出してから、集落を目指して断崖《だんがい》を駆け巡った。

集落の人々は、見送ったばかりのナナキが戻ってきたので何事かと驚き、集まってきた。

「ナナキ、どうした？」

「ええと——」声が出た。黒い塊はもう無くなってしまったのがわかった。

「まさか、もう故郷が恋しくなったか」誰かが冷やかすように言った。他の人々も笑い出す。

「うん、そうかも」

「ナナキよう、しっかりしなくちゃ！　勇敢な戦士も形なしだぞ」

「うん、そうだね」

少しの間、ナナキは谷の人たちと言葉を交わした。そして再度別れを告げ、旅立った。別の道を行くこともできたが、あえて同じ道を通った。あの恐怖は、場所が原因なのかどうか確認する必要があると思ったからだった。しかし、何も起こらなかった。

ナナキは自分の心の中に突如現れた、恐怖を放つ「アレ」にギリガンという名前を付けた。ギリガンという言葉に意味はなかったが、少なくとも名前を付けておけば忘れない。名前が物事の様々な要素を思い起こすきっかけになってくれる。ナナキはこうして、ギリガンを心の中に飼ったまま旅を続けることになった。時々、思い起こしては、その正体を探ろうとするが、その度にナナキは恐怖に震えることになった。いつか平常心でそれについて考えることができるようになるまで、できるならば放《ほう》っておきたいと思った。

コスモキャニオンを出たナナキは大雑把に旅の計画を立てた。まず西へ行き、ユフィの故郷ウータイがある、南北に細長い島を見て回ろう。それが終わったら、東へ。シドがいるロケット村やバレットの故郷コレル、クラウドとティファの故郷ニブルヘイムがある大きな島を巡る。その後は北へ行ってみよう。人里以外の辺境も隅々まで見てやろうと思っていたので、どれほど時間がかかるのか見当も付かなかったが、ナナキは心配していなかった。五百年とも千年とも言われるナナキの一族の寿命に意味があるとすれば、ひとりの人間には不可能なスパンで、継続的に何かができることだろう。

「無茶は禁物。オイラは誰よりも長生きしてやるんだから」

ナナキはウータイを目指していた。可能であれば、ユフィに会うつもりだった。ユフィはまるで飼い主のような態度で自分と接していたが、それはユフィなりの、親しさの表現なのだとナナキは受け取っていた。

「ユフィは、わかりやすいもんね」とナナキは思う。年長の仲間たちに囲まれて、ユフィは対等に張り合おうとしていた。同じ戦いの場に立つ以上、歳の違いなんて関係ないと主張しているように見えた。その気持ちはナナキにもよくわかった。おそらく、精神年齢が同じなのだろう。自分は五十年近く生きているのに、十五、六歳のはずのユフィのことが一番よくわかるという事実に複雑な思いはあったが、人間とナナキの成長の仕方はかなり違うので、これに関しては諦《あきら》めるしかなさそうだった。

ウータイの近くまで来たとき、ナナキは偶然ユフィを見つけた。襲いかかるふりをして怖がらせるというイタズラをしかけるつもりでいたが、高台から見たユフィは、そういう冗談を受け入れられる状況ではなさそうだった。同じ年頃の少年の足首を両脇に抱えて引きずって、後ろ向きにウータイへ向かっている。ずっとそうして来たのだろう。草原には少年がつけた長いレールのような跡ができていた。少年の生死は分からないが、ユフィはしきりに声をかけている。やがてユフィは止まった。休憩するのだろうかとナナキが思っていると、ユフィは少年を抱き起こして、なんとか自分の背中に乗せようとしている。しかし、力強いとは言えないユフィにとって、それは難しいことのようだった。

「仕方ないなあ」誰にともなく言って、ナナキはユフィの元へ向かう。相手が援助を予期していない時に、自分が助けに入ることができるのは、悪い気分ではなかった。ナナキはまったく気づいていないユフィに足音を殺して近づき、声をかけた。

「手伝おうか?」

ユフィの友人、ユーリという少年は、ミッドガルで突如発生した病気にかかっていた。身体のそこかしこから黒い液体を流しながら死んでしまうという恐ろしい病気だった。ミッドガルでは、破壊された街の修復と同じか、またそれ以上の重要な問題として考えられていた。伝染するという噂《うわさ》をナナキは聞いたことがあったが、ユフィは気にする様子もなくユーリと接している。ナナキは不安になった。教えた方がいいのだろうか。しかし二人の会話を聞いているうちに、ユフィは伝染の可能性をすでに知っていることがわかった。なんだろう、この無防備さは。いや、とナナキは気づく。無防備なのではない。優しいのだ。ユフィはこの——どの程度の親しさなのかは知らないが——友人を見捨てることなんてできないと思っている。そうなると今度は、ユーリが憎らしく思えてきた。ユフィに伝染するかもしれないと知りつつ、優しさにすがるというのはどういう気持ちなのだろうか。なんだか、腹が立つ。しかし、ナナキにはどうすることもできない。なんといっても相手はユフィの友人なのだ。しかし、せめてもの腹いせに、話題が病気を治すマテリアのことになった時、そんなものは無いと言ってやった。ユフィは怒った。予想済みの反応だった。しかし、ユフィの悲しそうな目は想定外だった。ナナキは深く反省し、後悔した。

やがてウータイに到着して、そこで数日を過ごした。ユフィは隔離された患者の世話を始めた。ナナキは命じられれば簡単な手伝いもしたが、たいていは、その病気の様子を観察して過ごした。これも記憶にとどめておくべきことだと思っていた。命の営みのひとつだ。

「あんた、しゃべることができるって本当かい？」

患者のひとりが言った。

「うん」

「不思議なもんだね。神様はどうしてあんたみたいのを作ったんだろう。心の入れ物を間違ったのかねえ。人間だったら良かったと思うだろう？」

「うーん――」その時、ナナキは気づいた。ほとんど人間と同じ感じ方や考え方をしているらしい自分は、きっと人間という生き物を理解するためにいるのだ。人間という生き物の移り変わりを未来へ伝えるのが自分の役目なのだ。またひとつ、物事を理解できた、とナナキは思った。

もう少し、ウータイや病人たちの様子を見たり、ユフィと過ごしたいと思っていたが、そのユフィから病気に関する情報収集を命じられ、ナナキはウータイを後にした。この窪地《くぼち》に入るとウータイが見えなくなるという時にナナキは振り返って町を眺めた。町の前に作られた患者用の小屋で働くユフィの姿が見えるはずだった。しかし、町そのものが見えなかった。思ったより、窪地に向かって降りすぎていたようだ。

「なーんだ。でも、また来ればいいや」と思って先へ進もうとした時、心の中にズンと衝撃を感じた。ギリガンだ。またあれが現れた。ナナキは今度こそ、その正体を見極めようと、ギリガンに意識を集中した。その黒い塊は震え、やがて表面に何かが浮かびあがった。コスモキャニオンの人々の顔だった。人々は穏やかな顔で現れ、やがて、黒い表面に吸い込まれるように消えて行った。今の顔は——あれ？　名前が思い出せないと思った瞬間、身体がブルブルと震え始めた。震えは立っているのが耐え難いほどで、ナナキはその場に腰を下ろした。名前、名前を思い出せ。ナナキは自分を鼓舞する。続いてギリガンの表面に浮かび上がってきたのはユフィの顔だった。ユフィは穏やかな、見たことのない表情をしていた。そのユフィの顔も黒い海に沈むように消えていこうとする。突然ナナキの頭に死のイメージが浮かび上がった。谷の人たちが死ぬ？　ユフィも死ぬ？　恐怖が襲いかかってくる。

「助けて！」ナナキはついに地面に伏せ、震える身体を星に支えてもらおうとした。もう一度、今度はユフィに届けと叫ぼうとした時、ギリガンは消えた。ナナキはのろのろと立ち上がり、周囲を見回した。窪地の斜面を駆け上がり、ウータイを見た。働いているユフィの姿が見えた。

あのユフィもいつか年老いて死んでしまうのだろう。谷の人たちは年寄りが多いから、もっと早くにいなくなるはずだ。想像しただけで悲しい。自分は涙を流し、長い時間を落ち込んで過ごすにちがいない。でも、なぜ、みんなの死を思わせるギリガンは、恐怖を放つのだろう。

みんなが死に行く時に感じる恐怖がギリガンの正体なのだろうか。ナナキは首を振って、その不吉な考えを頭から追い払う。いつか来る日にはちがいないが、それでも友達が死ぬことなんて考えたくないと思った。

ナナキは旅の予定を変えて、ユフィたちが言う「ミッドガル病」について調べることにした。最も情報が集まる場所は、やはりミッドガルだ。情報が多いぶん、混乱も多いだろう。しかし、いつも物事を深く考えるクラウドや聡明《そうめい》なティファもいるので、ある程度の時間を過ごせば、何か見えてくるにちがいないとナナキは考えた。

ニブル山を南に迂回《うかい》して東へと向かったナナキは、それまで存在すら知らなかった森の中に入り込み、迷ってしまった。最初は獣の勘を頼りに足を進めたが、森は想像以上に深いようだった。ナナキは、しかし、それでも焦ることもなく、出口を探した。深い森とはいえ、空を見上げれば太陽の動きはわかる。人から得た知識で方角を確認して、ナナキは歩き続ける。いつか森の東の果てに出るはずだ。

銃声が聞こえた。木々に反響して、どちらの方角から聞こえたのかはわからなかったが、ナナキはとりあえず、見当をつけて駆け出した。すると、十歳くらいの男の子がモンスターに襲われている場面に出くわした。モンスターは長い尻尾《しっぽ》を持った熊のような姿をしていた。いや、熊そのものかもしれない。鉄さび色の体毛で覆われた前足のあたりから血を流している。

銃で撃たれたのだろう。手負いの獣は、尻餅《しりもち》をついて怯《おび》えている男の子の周囲をグルグルと回っていた。これからどうしてくれようかと思案しているようだった。やがて狂った、あるいは怒りに燃える赤い目を男の子に向けるとゆっくりと近づいた。ナナキは身を隠していた風下から飛び出して男の子の服を咥《くわ》え、その場から引き離した。そして安全な茂みまで避難させてから、熊に立ち向かった。熊は新しい敵の登場を気にする様子もなく、当然とでもいうように、ナナキに向かってきた。毛に覆われた両手の先に鋭い爪が見える。あれにやられたら面倒なことになるぞ、とナナキは考えた。

「ニビ熊は喉《のど》が弱点だ！　行け、レッド！」突然男の子が言った。その指示に戸惑ったが、多くの獣の弱点は喉にあることは確かなので、攻撃目標をニビ熊の喉に絞る。ナナキは久しぶりに獣らしい唸《うな》り声をあげて相手を威嚇する。ニビ熊は、ピタリと動きを止め、初めて出会った敵の実力を探ろうとする。睨《にら》み合いが続く。

「なにをしてるんだ、行け、レッド！」

勝手なことを言うな、とナナキは思う。己の肉体以外に武器を持たない獣同士の戦いに、人間は口を出すな。森は獣の場所だ。

その時、また銃声が聞こえた。と同時に、ニビ熊の喉元から血しぶきが飛び散り、巨体が地面に倒れた。すぐに茂みの中から人間――どう見てもハンターだった――が飛び出してきて、倒れたニビ熊にとどめの銃弾を撃ち込む。ニビ熊は息絶えた。

続いてハンターはナナキに銃を向ける。警戒してはいるがすぐに撃つ気はないようだった。

「父さん、撃っちゃダメだよ。こいつ、おれを助けてくれたんだ。これは運命だよ。神様がおれにくれたんだ。おれ、レッドを連れて帰りたい」男の子はハンターとナナキの間に割り込んで言った。

「レッドだと？」ハンターが聞き返した。

「うん、赤いからレッド」

屈辱的な命名だとナナキは思う。かつて同じ名を自分につけた狂った男を思い出す。ナナキは不満を現すために唸り声を上げた。ハンター親子は警戒して数歩下がる。

「おまえ、しゃべるんだろう？」とハンターが銃を向けたまま言った。「ずいぶん前に神羅《しんら》カンパニーがおまえの一族に懸賞金をかけていたぞ。巨大な狼のような風貌《ふうぼう》。赤い体毛と燃える尾。くそう！　あと一年早く捕まえていればおれは大金持ちじゃないか！」

「レッド、しゃべるの？」

ああ、確かにオイラはしゃべるさ。そしておそらくおまえたちより賢い。でも、おまえたちとは口をききたくない。銃を突きつけたまま、好き勝手なことを言う相手とは、友達にはなれない。ナナキは身を翻すと、小さくジャンプして、茂みの中に飛び込んだ。

「くそ！」

銃声だ。弾丸がナナキの耳元をかすめた。ほら、結局撃つんじゃないか。おまえたちはオイラを捕まえたら足かせをつけて檻《おり》に閉じ込める種類の人間だ。そしてしきりに話しかける。自分たちは仲が良いと思いたがる。

ハンターたちがいる場所から少し離れて様子をうかがい、もう追って来ないのを確認するとナナキは元の場所に戻って親子の様子を確認した。二人はナイフを使って倒したニビ熊の解体を始めていた。

「父さん、おれ、レッドが欲しいよ」

「うん、あれは——金になりそうだな。神羅はもうダメだろうが、おれたちで見せ物にするって手もある。ゴールドソーサーあたりへ連れていけばいいかもしれない」

「ちがうよ、おれは友達になりたいんだよ」

「馬鹿なことを言うな」ハンターはナイフで器用にニビ熊の尻尾を切り落としている。「あれは犬や猫とはちがうぞ。おまえなんかの手には負えないさ」

あんたの手にも負えないよ、とナナキは思う。

「さあ、人を呼んでくるぞ」

「どうするの？」

「これまでニビ熊は尻尾しか役に立たなかっただろう？　兵士が使う興奮剤用に神羅が高く買っていたからな。でもな、これからはきっと肉も役に立つ。美味《うま》くもないが、別に不味《まず》くもない。料理法次第じゃ結構イケる」

「そうか、食べるんだね！」

「ああ。これからは世界的な食料不足が来るぞ。ずっとか、すぐ終わるかわからないが、一儲けできるにちがいない」


ニビ熊の死体をそのままにして、親子は立ち去っていった。ナナキは思う。あのハンターは別に悪人ではない。ただ、この時代を、逞《たくま》しく生き抜こうとしているだけだ。ニビ熊が人間の食料だと言うなら、狩りをするのは仕方がない。どんな生き物も、食べなくては飢えてしまう。

かつて、ブーゲンハーゲンがナナキに言ったことがある。動物とモンスターの違いは、殺した相手をどう扱うかで区別できる。動物は食べるために他者を殺すが、モンスターはそれで終わり。次の獲物を探す。この区分で考えれば、人間はモンスターに近い、と。ニビ熊の尻尾だけが目的なら、あのハンターはモンスターだと言ってもいいだろう。しかし、ニビ熊を食べないと死ぬというなら、話は別だ。銃がある限り、かなり不公平ではあったが、これは食物連鎖の話なのだ。あのハンター親子が好きになれないとしても、この問題には手を出してはいけないのだとナナキは思う。ナナキは幼い頃から人間と一緒に過ごすことが多かったせいで、ほとんど狩りをしたことがない。狩りくらいできないといけないと思った時に試した程度だ。そいつを食べたいと思って命を奪ったわけではないから、あの時の自分はモンスターと同じだったとナナキは思う。自分にはあのハンター親子をどうこう言う資格はないのだ。多くの人間は自分が他の動物の命を食べて生きていることに無自覚だ。自覚していても、食料になる動物と接する職業の者たち以外は、それについて深く考えることを避けようとする。ナナキも同じだった。ここにとどまって、あれこれ考えを巡らせることは無意味だ。自分が採るべき、絶対的に正しい言動があるのだとしても、今はおそらくそこに辿《たど》り着けないだろう。

死んでいるニビ熊の死体にはすでに肉食の虫や、小動物が群がっていた。ナナキは居住まいを正してその様子を見ていた。これも星を巡る命の営みだ。感情を抑え込んで、公平に、この状況を見つめ、記憶しなくてはならない。

「ギー！」耳障りな甲高い鳴き声とともに小さなニビ熊が二頭、死体に駆け寄ってきた。小動物たちが慌てて逃げていく。小さなニビ熊は死体——おそらく母親の死体——にすり寄って、手や鼻先で突いている。起こそうとしているのだろうか。ナナキはどうすることもできずに見つめていた。そして思い出す。あのハンターは、人を呼びに行くと言っていた。このままではこの子熊たちも危険だ。状況をただ見守るという考えはどこかへ消し飛んでしまっていた。ナナキは茂みから出て、子熊たちに姿をさらした。

「気持ちはわかるけど、ここは危険だ。さあ、こっちへ」

ナナキは茂みの中へ子熊たちを導こうとした。しかし、言葉は通じず、子熊たちは感情が読み取れない目でナナキを見つめている。

「参ったな。人間たちが来るんだぞ」

ナナキは思案した末に、一頭の子熊に飛び寄り、その首筋を甘噛《あまが》みして持ち上げた。

「ギー！」ナナキが咥え上げた熊が叫ぶと、それに呼応してもう一頭が吼える。「ギー！」

これで良しと、ナナキは一頭を咥えたまま、茂みに駆け込む。もう一頭が追いかけてくる。

「よーし、いいぞ」

ナナキはそのまま森の奥深くへ入っていった。時折立ち止まっては、懸命に追いかけてくる小さなニビ熊を待つ。距離が詰まるとまた駆け出す。それを繰り返すうちに、ナナキはやがて森の中の小さな広場のような場所に着いた。そこには古い石畳が敷き詰められていて、明らかに人間の手が入っていることがわかった。周囲を観察すると、無秩序に積み上げられた石材が放置されていた。誰かがここに建物を造ろうとしたのだろうか。しかし、人間の痕跡《こんせき》はそれだけだった。放置されて久しい場所という空気が漂っていた。

ナナキは口に咥えていた子熊を地面に降ろす。子熊が動かないので驚いたが、耳を澄ますと寝息が聞こえて来た。なんて呑気《のんき》な生き物だろうとナナキは思った。追いついて来たもう一頭は「ギー」とひと泣きしてから兄弟――疑いの余地はなかった――に駆け寄った。そしてニオイを嗅《か》ぐ。染みついたナナキのニオイが気になるのだろうか、鼻先でしきりに兄弟の体表をこすっている。やがて満足したのか、飽きたのか、大きなあくびをすると寄り添って眠りだした。

「かわいいな」とナナキは思う。しかし、すぐにナナキは悩む。これからどうしたらいいんだろう。自分には、この兄弟に対する責任が生じてしまったのではないか。ナナキは地面に伏せて、兄弟の様子を眺める。この二頭は、母親無しで生きていけるのだろうか。このニビ熊という生き物はいったい何を食べるのだろう。見た目は獰猛《どうもう》な肉食動物かもしれないが、この種類の獣は、ナナキ同様、雑食であることが多い。とすれば、森は食料で満ちあふれているはずだ――ナナキは結論を見つけた。多少食べ物を用意してやってからオイラはこの森を出よう。兄弟の将来は気になるが、ずっと面倒を見るわけにはいかないのだ。あまり深入りしないうちに別れを告げた方がお互いのためだろう。でもその前に――ナナキも大きなあくびをしてから目を閉じた。

しばらくしてナナキは目を開く。視線の先に兄弟の姿はなかった。そうか、どこかへ行ったか、元気に暮らせよ、と思った時、脇腹のあたりの違和感に気づいた。見ると、ニビ熊の兄弟が伏せたナナキの脇腹と地面の間に身を埋めるようにして眠っていた。

「まいったな――これはまいった」

ナナキはそれまで感じたことのない感情が胸を満たしていることに気づいた。頭で考えた理屈など押し流してしまう強い感情だった。ナナキはこの兄弟が自立するまで、世話をしてやろうと決意した。

すっかりなついたニビ熊の兄弟――バズとリンと名付けた――にナナキは狩りを教えた。ナナキ自身も狩りは得意ではなかったが、これはいつか自分の役にも立つことだと言い聞かせて真剣に取り組んだ。他の生き物の命を奪う罪悪感はなかった。これは生きるための、正々堂々とした戦いなのだ。時折、他のニビ熊と出会った。ナナキは敵対する気はないことをなんとか伝えようとしたが、いつも無視された。そんなことがある度に、本当は関わってはいけなかったのだという後悔が胸を突いた。いや、それとも、森で共に生きる仲間として受け入れられたのだろうか。様々な思いが頭の中を行き来した。毎日何かしらの発見があり、不安もあったが、総じて平和な日々だった。こんな生活をしていてもいいのだろうかという疑問が、時折頭をかすめた。その度にナナキは、これも使命のひとつだと自分に言い聞かせてはいたが、同時に、この生活が気に入り、捨てがたいと思っていることも自覚していた。

やがて、森に人間が入り込んで、狩りをしている姿を毎日のように見かけるようになった。どうやらニビ熊狩りは本格化しているようだ。食料として、人間たちは熊の肉を受け入れたのだ。バズとリンには、狩りだけではなく、人間を避ける術も教えなくてはならないとナナキは考えた。

森の中で、どれほどの月日を過ごしたのかナナキにはわからなくなっていた。日付の感覚は人間特有のものなのだ、とナナキは思う。人間と獣、どちらの生活にも寄り添うことができる自分は、今は、獣の時代を生きている。ユフィとの約束が気になったが、あれは人間の病気の話だ。獣には関係ない。最初の頃は心を痛めたが、今のナナキはそう言い切ることができた。いつか人間の世界に戻ったら、この話をしよう。オイラは獣として森で過ごした。獣の感情で生きることも必要だと思ったのだ、と。

ギリガンは何度かナナキの中に現れていた。見知った顔の中に、バズとリンも加わるようになってきた。黒い感情の塊の表面に現れ、やがて沈むように消えるニビ熊の兄弟の姿にナナキは恐怖して震えた。しかし、それは自分に寄り添うバズとリンの姿を確認することですぐに消え去った。今ではナナキは知っている。ギリガンの正体は喪失の恐怖だ。愛する者を失う恐怖がナナキの身体を震わせるのだ。それがわかれば、ギリガンはもう怖くはなかった。失うことを恐れては何も手に入らない。

森の日々は唐突に終わった。ナナキと肩を並べるほどに成長したバズとリンは、それぞれの居場所を定め、つかず離れず、暮らしていた。何かきっかけがあったわけではないが、ある夜、二頭はナナキを挟んで、離れて眠るようになった。何かが終わったのだとナナキは思った。さびしくはあったが、これが成長なのだと考えた。翌朝、目を覚ますと兄弟の姿はなかった。離れて眠るようになったのと同じく、食料も勝手に調達に行くようになったのだとナナキは解釈した。その時、銃声が聞こえた。続いて聞こえるニビ熊の咆哮《ほうこう》。あれはバズだ。森の中を目をつぶってでも歩けるようになっていたナナキは、バズの居場所目指して走った。やがて見つけたのは、かつて見たのと同じ光景だった。

あの日の男の子が尻餅をついて、怯えていた。ニビ熊がその周囲をうろついている。バズだった。バズはしきりと茂みの中を気にしている。どうやらリンを待っているらしい。バズは後ろ足で立ち上がり、天に捧げ物でもするかのように両手を上げ、吼《ほ》えた。森の中から応えるリンの声が聞こえた。男の子は怯えてはいるが、視線は逃げ道を探している。そしてナナキの姿を見つけた。目が希望に輝く。

「レッド！　おれだよ！　覚えてるだろ？　ずっと前、ここで助けてくれたよな」

あの日は見殺しにはできなかった。しかし、今は言うべき言葉を知っていた。

「ここは森の中だ。森のルールに従え」

ナナキの声を聞いた男の子の表情に歓喜が浮かぶ。ナナキが本当にしゃべるのだと知って喜んでいるようだった。剛胆な子だとナナキは思う。

「わかったよ、レッド」男の子は素早く立ち上がると、バズが跳ね退《の》けたらしい銃に向かって駆け出す。オイラはおまえの応援をしたわけじゃないんだ、とナナキは思う。意外な事の成り行きに戸惑っているうちに男の子は銃に達した。このままではバズが撃たれると思い、茂みから出ようとした時、リンが姿を現した。リンは男の子をその前足のひと振りでなぎ倒した。吹き飛ばされた男の子はグッタリと動かなくなる。ナナキは見ていられなかったが、あの子は森のルールで戦い、負けたのだから仕方がないと自分に言い聞かせた。バズとリンは男の子の周囲を回り始める。やがて二頭は後ろ足で立ち上がり、また空に向かって咆哮を響かせた。もう十分だ。ナナキは茂みから飛び出し、男の子の身体を熊たちから覆い隠すようにして立った。

人間めがけて振り下ろされた二頭の前足の爪がナナキの背中に突き刺さり、肉を引き裂いた。

「ギー！」「ギー！」バズとリンは出会った時のような情けない声を出して手を引いた。

「気にするな。行きなさい」

二頭のニビ熊は巨体をもつれさせるようにして森の中へ消えていった。

「うう――」

身体の下から男の子の呻《うめ》き声が聞こえてきた。

「おい、ったく、どこ行った。半人前のくせに調子乗りやがって」

あのハンターの声だろうとナナキは思う。その場を離れて、茂みの中へ隠れる。

「おい、ゴディ！　どうした！」

案の定、ハンターが駆け寄ってきた。しかし、続いて現れた人影を見て、ナナキは驚く。

「ニビ熊にやられたのね？」

タークスの制服に身を包んだ若い女——イリーナは上着から何かの小瓶、おそらくポーションを取り出すと、男の子を介抱し始めた。

これはいったいどういうことだとナナキは思う。神羅カンパニーはまだ活動しているというのだろうか。もう少し人間の情報に注意すべきだったとナナキは悔やんだ。男の子がハンターに背負われて森を出ていくのを見送り、イリーナが携帯電話でどこかへ連絡するのを聞いた。

「見つけました。明日、もう一度挑戦してみます」


ナナキが森の中の、石の家へ帰ってくると、バズとリンはウロウロと歩き回っていた。そしてナナキの姿を見ると茂みの中へ隠れてしまう。

「怒ってないよ」

ナナキはそう言って、その場へへたり込む。怒ってはいないが、傷が痛む。少し休んで、回復に努めよう。明日、神羅がまた森へ来る。ニビ熊が目的らしい。明日は忙しくなる。バズとリンが近づいてくる気配がしたが、ナナキは黙って目を閉じた。やがて背中の傷を兄弟たちが舐《な》め始めたのがわかった。ありがとうな、バズ、リン。

夜中に目が覚めた。傷の痛みはずいぶん軽くなっている。ナナキは獣の回復力に満足して立ち上がる。周囲を見回すと兄弟の姿がなかった。いつもは目の届く範囲で眠っているはずだが、と不審に思って茂みの中を探してみたが気配はなかった。夜行性ではないニビ熊が夜に活動するのはよほどのことだ。ナナキは焦って、森の中を探し始めた。

遠くで銃声が聞こえたような気がした。森の外からだった。ナナキの全身が震え始める。久しぶりにギリガンが現れたのだ。ナナキはうずくまって恐怖に震えた。久しぶりのことで対処方を忘れていた。どうすればいいんだっけ？　そうだ、バズとリンだ。あの兄弟がこの震えを止めてくれる。しかし、二頭はいない。ナナキは歯を食いしばって立ち上がると、森の外を目指した。

地面を見つめながら、震えをこらえて歩いていた。空気のニオイが変わったことで、森から出たことを知った。ナナキは顔を上げる。なだらかに下る草原があった。ハンターたちが使う道のところだけ、草がすり切れていた。その道を視線で追うと、ずっと先に数個の灯《あか》りがあった。小さな集落だ。灯りのひとつ、一番大きなものはチラチラと揺らめいている。あれは炎だ、とナナキは思う。たき火のようなものだろうか。目に入るもの全てについて考えを巡らせることで、ナナキはギリガンを追い払おうとした。しかし効果はなかった。ナナキは意を決して灯りを目指して歩き始めた。

そんなことではないかと思っていた。たき火の灯りにバズとリンは照らされていた。二頭は大きな支柱に釣り下げられていた。得意のポーズを取らされていた。天に両腕を伸ばした、見慣れた姿だった。二頭の尻尾は切り取られていた。ナナキは自分がスッと冷静になるのを感じた。ギリガンはもう消えていた。ニビ熊の状態を詳しく見る勇気はまだ無かったので、先に周囲の状況を観察した。山小屋が三棟あった。それぞれに灯りがともっている。耳を澄ますと人間の男女の笑い声が聞こえてきた。祝杯というところだろうか。外に見張りはいないようだった。ナナキはまだ兄弟を直視することができなかった。

バズとリンは復讐《ふくしゅう》のためにここへ来たのだろうか。それは獣の感情ではないように思われた。人間とニビ熊は宿敵同士かもしれないが、それは全体としての話であって、個対個には特別な感情はないとナナキは考えていた。敵愾心《てきがいしん》や怨《うら》みを持つとすればそれは人間の方だろう。

森の外の空気にさらされたせいだろうか、ナナキは自分の心に復讐心が芽生えているのを意識していた。これは獣の感情ではない。人間の感情だ。

「ギー」と兄弟の声が聞こえた。ナナキは驚く。痛いよと聞こえた。身体は大きくても、まだ生まれて数年の子供なのだ。ナナキの中に真っ黒な感情が広がる。ギリガンではなかったが、それは理性をどんどん呑《の》み込んでいく。復讐心が抑えがたいほどに心を支配していく。

小屋の中から赤ん坊の泣き声が聞こえた。そうか、赤ん坊がいるのか。きっとかわいいんだろうな。赤ん坊がいるから——赤ん坊には罪は無いから、ナナキよ、ここはこらえなさいという意味だろうか。

ナナキは獣と人間の狭間《はざま》で心が張り裂けそうになっていた。

ガスッ。

ナナキのすぐ近くの地面に銃弾がめり込んだ。銃声は聞こえなかった。ナナキは怒りで銃声も認識できなくなっている自分に気づいた。吊《つる》されているバズとリンの姿を改めて見る。さっきの声は空耳だ。もう息絶えて久しいはずだ。兄弟の目を見た。閉じかかったまぶたの奥に真っ赤な目が見えた。そこにたき火の炎が反射している。ナナキは自分の目にその炎が燃え移ったような気がした。目が熱かった。風景が真っ赤に染まって何も見えなくなった。

続けざまに銃声が響いた。ナナキは敵が発した音を頼りに小屋目指して突進する。窓ガラスを突き破って室内に躍り込む。武器を携えた男たちが数人いた。オイラを動かしたのは人間の感情だが、今、ここにいるオイラは獣の本能そのものだ、とナナキは思う。


もう人間の顔が区別できない。


銃声が響き、頰《ほお》のあたりに鋭い痛みが走った。それが合図だった。ナナキは手近な相手に飛びかかった。

後の事はほとんど覚えていない。銃弾が身体を貫く痛みと男の子の叫びがかすかに記憶に残っている。

「友達になりたかったのに！」

ナナキは目を覚ます。血で汚れた木の床に倒れていたらしい。頭を巡らせて周囲を見やる。部屋の隅に赤い服を着た見覚えのある男が座ってこちらを見ていた。

「起きられそうか？」

ヴィンセントはあまり心配している風でもなく言った。

「ヴィンセント？　ヴィンセント！　ここで何を？」

「おれが聞きたい」

ヴィンセントは面白くなさそうに言った。

ヴィンセントは多くを語らなかったが、適当に旅をしながら暮らしていたらしい。何かが始まるのを待っていたと自嘲《じちょう》気味に言った。その途中、偶然神羅のヘリが飛んでいるのを見かけて、それを追って進んできたら、このハンターたちの集落に着いた。追っていたヘリも停《と》まっていた。タークスのイリーナは何かを求めてここへ来たらしく、ハンターと一緒に森へ入っていった。やがてケガをしたらしい子供を連れて帰ってきたと思ったら、夜になって二頭の熊が現れた。ハンターたちは大騒ぎしながら熊を撃ち倒した。イリーナは目的の物を手に入れたらしく、ヘリで帰っていった。わけがわからないと思っているところへナナキが来た。ハンターたちの銃声が聞こえ、ナナキが小屋に飛び込んでいった。近づいて様子を見ると――

「おまえは、押し倒したハンターの喉を食いちぎろうとしていた。子供が泣きながら友達だとかなんとか言っていた。何があったのかは知らない。しかし、おれが見たのは、知り合いのナナキではなく、人間を襲う獣だった。だから、おれは撃った」

ヴィンセントはナナキを銃で撃つと、混乱して、銃を持たせておくには危険な状態になっているハンターたちを小屋から追い出した。そして立ち去るように告げた。

「ちょっと脅かしておいた。変身してな」


それからヴィンセントは意識を失っているナナキに治療を施し、待っていた。

ナナキは部屋の中を見回す。床のあちらこちらが血で濡《ぬ》れている。

「オイラ、殺したのかな」

「いや」

「そう。良かった」

しばらく沈黙が続いた。ナナキは外の様子を見るために立ち上がろうとした。ふらついたが、なんとか立てた。ヴィンセントが思い出したように言った。

「外の熊は奴らが運んで行った。止めた方が良かったのか？」

「ううん。きっと役に立つんだろう？　それが森のルールだ。いや、森の外のルール？　ヴィンセント、オイラ、ちょっとわかんなくなっちゃった。わかんないよ」

「聞いてやってもいいぞ」

そう言ったきり口を閉ざしたヴィンセントに、ナナキは話し始めた。ギーギー耳障りな声で鳴くニビ熊の子供たちと出会った時からヴィンセントとの再会までの話を。

「オイラ、どうしたら良かったのかな？」

ヴィンセントは黙ったままだ。答えは、この人からは得られないと思った時、

「思うに。後になってこの出来事を思い出した時――答えは出るだろう。だが、さらにその後に思い返したら、答えは別のものかもしれない。答えはあるが、ひとつではない。おまえは生涯をかけて、考え続ければいい」

大事なのは、忘れないことだ、とヴィンセントは言った。

「うん――」

ナナキはわかったようなわからないような、中途半端な気持ちでいた。

「こう言えばわかるか」ヴィンセントはナナキの心を見透かしたように付け加えた。「その時、おまえが良かれと思ったことは、一〇〇パーセント、間違っている。どこまでも間違っている」

「そんなの、どうしたらいいかわからないじゃない。いくら考えても、正しい行動に辿り着けないよ」

「そういうことだ」ヴィンセントは、これで終わりと言うように立ち上がった。そして思い出したように言った。「何もしないという選択肢もある。おれはそれを選んだことがある」

「どうだった？」

「罰としては良かったかもしれない」

ヴィンセントは芝居がかった動きでマントを翻すと、小屋から出ていった。ナナキは慌てて後を追った。

ヴィンセントは東へ向かっているようだった。しかしやがて道を外れて荒野に入り込む。

「どこへ行くの？」

「聞いてどうする」

「一緒に行っちゃダメかな」

「なぜだ」

「だって――」人恋しいからだ、とナナキは思う。誰かと一緒にいたい。こんな荒野の端っこで――二人は小さなビルほどの崖《がけ》の下を歩いていた――一人になりたくない。

「その答えは一〇〇パーセント、間違いだ」

ヴィンセントはふわりと浮かび上がると崖を飛ぶように上って行った。

「ヴィンセント！」

しかしもう赤いマントは見えず、答えもなかった。

「――ヴィンセントだって、間違ってるかもしれないよ」

見えなくなった相手にそう叫んでからナナキは気づく。どっちが正しいとか、どうすれば良かったのか、悩むことに意味はない。過去は変えられず、あるのは未来だけ。ただ、忘れず、考え続けることだけが重要だ。そうすれば答えが見つかるかもしれない。見つかれば、何かの役に立つかもしれない。でも、それだけ。日々、生きることに比べたら、小さなことだ。オイラもバズもリンも、森では悩みなんか無かった。森での日々は楽しかった。

ナナキは崖に寄り添うようにうずくまると、森での出来事を思い返した。獣のくせに寝相が悪い兄弟のことを思い出した。泉でおぼれたバズ。木から落ちたリン。兄弟が初めて仕留めた魚。それを一瞬でたいらげた兄弟。ナナキは笑っていた。しかし涙は止まらなかった。さようなら。獣の世界。ナナキは立ち上がり、東へ歩き出した。少し進んでから思い直し、北へ進路を変えた。

ロケット村のシドは新しい飛空艇の開発で忙しそうだった。それでも、傷だらけで現れたナナキを見つけると、ゆっくり傷を癒《いや》していくように言ってくれた。ナナキは人々の邪魔をしないように完成間近の飛空艇を眺めて過ごした。森でニビ熊たちと過ごしている間に、実に二年近い月日が流れていたことに、ナナキは驚いた。しかし、シドも、ナナキとの再会が二年ぶりに近いことを知って驚いていた。懸命に生きるということは、時間の流れなど忘れてしまうほど大変なことなのだ。

ナナキは比較的最近、バレットが訪ねてきた時の話を聞いた。会いたかったな、とナナキは思う。シドと同じく、バレットも別れた時と変わらず接してくれたにちがいない。

ある日、飛空艇完成の目処《めど》が立ったシドは上機嫌でナナキをテスト飛行に誘った。ナナキは喜んで乗り込んだ。

「落ちたら、そん時はそん時よ。恨むなよ」とシドは言った。

そん時はそん時。いい言葉だと思った。

空を飛ぶと、誰もが世界の狭さに気がつく。普段地面を走り回っているナナキにとっては、その思いはなおさらだった。この特権的な視線を体験させてくれたシドには感謝しなくてはならない、とナナキは思った。この狭い世界が、オイラが何百年も、もしかしたらもっと長い時間を過ごす世界なんだ。まだ知らない命の営みがたくさんある。見るべきもの、知るべきことはたくさんあるはず。地面にいると、途方もなく広い大地で進むべき方向を見失って困惑することは日常茶飯事だ。でも、自分は、世界はそれほど広くないということを知っている。その知識は、全てを知ることは不可能ではないと勇気づけてくれる。

「世界がオイラを待っているんだ」

「なんだぁ？　大層なこと言いやがって——お？　おいおい、ありゃあ——」

「どうしたの？」

「見ろよ、ユフィだ。あいつ、こんなところで何やってんだ？」


ユフィとの再会は、少しだけ後ろめたかった。病気に関する情報を集めてくれとユフィに言われて別れてから、ナナキは何もしていなかったからだ。後ろめたさを隠すために、努めて明るく振る舞った。やがてシドが飛び去り、ナナキはユフィと二人きりになった。ユフィは当然という口ぶりで、一緒にマテリアを探しに行こうと言った。ナナキの考えは、前に会った時と変わっていなかった。あの時は、ユフィの友達のユーリに腹が立って、意地悪のつもりで、マテリアなど無いと言ったはずだった。でも、今は違う。確信を持ってミッドガル病——今では星痕《せいこん》と呼ばれていることをロケット村で知った——を治療するマテリアは無いと思っていた。

　自分が森で暮らしている間、ずっとユフィが探して見つからないのなら、そんなマテリアはそもそも、無いのだ。これはユフィを信じているからこその思いだったが、それを告げた時、ユフィは寂しそうな顔を見せた。

「ごめん、オイラも一緒に探すよ」と、ナナキは約束した。

ユフィと一緒に、北の雪原にあるマテリアの洞窟に入った。凍《い》てつくような洞窟《どうくつ》でのマテリア探しは、結局徒労に終わった。

「あーあ、やっぱりないや！　気が済んだ！」とユフィは言った。

「諦《あきら》めるの？」

「ちがうよ、探すよ。期待されてるんだからさ」

「どういうこと？」

「知ってるマテリアの洞窟はこれで全部。見逃しがあるかもしれないから、もう一回最初から回るけど――でもね、アタシ、わかったことがあるんだ。ここんとこ、そっちにいっぱい時間を使ってるんだよね」ユフィは遠くを見るように言った。

ユフィはウータイの患者たちに武術を教えていた。最初は子供たちだけだったが、今では、多くの患者が、体調と相談しつつ、ユフィの指導で身体を動かしていた。

「うーんとね、あの病気、やっぱり伝染するんだよ。でもね、誰にでもうつるわけじゃないんだ。なんかこう、悩んだり、苦しんだり、人生諦めちゃったり、そういう、心の隙間《すきま》みたいなところに、入り込んでくるんだよ、あの病気。でね、武術の勉強して、身体を動かしていたら、そういうこと、考えないでしょ？　毎日が忙しく過ぎていって、夜はバタンって眠っちゃえば、変なことで悩まない。だからさ、そっちもがんばりたいんだ」

ユフィはナナキを見て微笑《ほほえ》んだ。

「どう思う？」

「賛成。とっても賛成」

「でしょー！」

ユフィはナナキの首に両腕を回してグイグイと締め上げる。

「やめてよ！」

「あれ？　あんたよく見たら傷だらけじゃない。何してたの？」

ナナキはなんと説明しようか考えてから答えた。

「世界を記憶する旅だよ」

想像していたのとは違ったが、結局のところ、ナナキは、生命の営みに飛び込んで、懸命に生きたのだ。そして、記憶した。端から眺めているだけではわからなかったに違いないことを経験した。心と身体の傷を代償にして。

「カッコつけちゃって、バッカじゃないの～」

ユフィはまたナナキの首を絞める。しかし、すぐに力を抜いて言った。

「がんばろうな、ナナキ」


ユフィと別れたナナキは、世界を、文字通り、うろついた。獣と出会えば、なんとか一緒に生活できないかと考えた。人間と出会えば、積極的に話しかけた。全てのことから真実——正しいも、正しくないも、ない——が学べそうな気がしていた。おかげでナナキの中にはたくさんの名前が増えた。キラキラ、ドリー泥棒、カイ、蜘蛛《くも》流れ、恋、木の叫び——全てが貴重な、時には痛みを伴う体験から得た知識に付けられた名前だった。

充実した日々の中、ひとつだけ心配なことがあった。ひとりで過ごしていると、また、あのギリガンが現れるようになったのだ。ギリガンは日増しに巨大化していくようだった。見聞が広がれば、その分、失う物も多いはず。だからギリガンは大きくなるのだとナナキは考えていた。

ギリガンの正体は喪失の恐怖。正体が分かれば怖くないはずだった。にもかかわらず、ナナキは震え、復活するためにかかる時間は以前より長くなってさえいた。

どうしてだろう、とナナキは思う。やがて、ギリガンの正体を見誤っていたのではないかと思い至った。ギリガンとはなんだろう、と改めて考える。それが発するのは心が凍えるほどの恐怖だ。それだけは間違いない。恐怖の正体だけがわからなかった。

「ギリガンか」

久しぶりに忘らるる都の泉のほとりで再会したヴィンセントは、ナナキの説明を聞いてから呟《つぶや》いた。

「それなら、心当たりがある」

「なに？　教えて？」

ナナキは食いつかんばかりに、ヴィンセントに迫る。

「喪失は確実に、いつか来る。悲しみもするし、それを想像することは、恐怖だ。しかし――笑える話だが――いつか、慣れる」

「うん――そうかもしれない」

「ギリガンは、遠い未来から来る。おまえが無意識に恐れる未来から」

「えっ？」

「おまえを知る全ての者。おまえが名付けた全ての出来事、事象、何もかもが、おまえの中にしかなくなった時を想像してみろ。共有できる者は誰もいない」

「うん――」

ナナキは想像する。その時、ナナキの心の中でギリガンが活動を始めた。ナナキは身体の震えに耐え、想像を巡らせる。ミッドガルを見渡せる高台に駆け上る自分を想像する。勢いよく上った高台のその先には、名も知らない植物に覆い尽くされたミッドガル。人の気配はある。しかし、ナナキが知っている相手は誰もいない。あそこへ行って、人に話せば、その人は感心して聞いてくれるかもしれない。しかし、ああ、あの時はそうだったねと言ってくれる者はいない。

「ひとりぼっちだ」

ナナキは震えながら言った。

「長命のオイラが、いつか必ず体験する孤独――孤独の恐怖。それがギリガン？」

「おれは取り越し苦労と呼んでいる」

「茶化さないでよ！」

ナナキの怒りを、ヴィンセントは鼻で笑ってから言う。

「ならば、こう想像してみろ。おまえは孤独にはならない。もしかしたら子供だって持つことになるかもしれない」

「オイラの子供？　想像できないよ。ニビ熊しか出てこない」

「では、これはどうだ。おまえは、年に一度、ミッドガルを訪ねる。そこではおれが待っている。おれがおまえのくだらない話を、興味無さそうに聞いている」

ナナキはその様子を思い浮かべた。ヴィンセントの、うんざりした顔が目に浮かぶ。するとナナキの震えが止まった。ギリガンは姿を消したらしい。

「震えが止まったようだな」

「うん。でも、ヴィンセントだっていつか――」

「そのいつかは、来ない。おれは不老不死だ。幸か不幸か、な」

「あ――」

ナナキはヴィンセントが抱えることになる孤独を思った。長命とはいえ、ナナキもいつかは死ぬ。でもヴィンセントは――

「ねえ、オイラが生きている間は、絶対に、時々会って話そうね」

ヴィンセントは困ったような顔をしてナナキを見て、やがて口を開く。

「年に一度だ。それ以上は勘弁してくれ」

「どうして？」

「おまえは、面倒くさい」

ヴィンセントはそう言うと、うつむいてマントの襟に顔を埋める。肩が小刻みに震えているのがわかる。ナナキはヴィンセントが笑っているのを初めて見た。

「ギリガン。ギリガンだと？」

「ふん。笑いたきゃ笑ってよ」

「では、失礼」

ヴィンセントは声を上げて笑った。ナナキも最初は声を殺して——やがて、引きつったような声で笑った。

忘らるる都に笑い声が響いたのは、セトラの時代以来のことだった。

女は、ライフストリームの中に、なかなか周囲に溶け込まない精神が増えたことを知っていた。それはあの男の精神とは違っていたが、同じ種類の感情でライフストリームを拒否しているることに気づいた。憎しみ――星への思いが憎しみに染まっているところが、あの男と同じだった。男が地上に影響を及ぼした結果なのだと女は思った。

女はライフストリームに入ってきたばかりの、憎しみに満ちた精神に近づいて、それを癒《いや》そうとした。表層の憎しみの中には、普通の人間としての、平凡ではあるが、喜びも少なくはない記憶が隠されていた。女はそれを解放して、ライフストリームに溶かしてやった。思いの核を失った表層の憎しみは、やがて消えていった。女は方法を見つけたが、しかし、憎しみで覆われた精神は次から次へと現れ、女ひとりの力ではどうしようもなかった。女は流れの中を駆け巡り、協力してくれる精神を探し求めた。消え去る寸前の古代種。その意識の欠片《かけら》が女の意志を受け取ってくれた。かつての知人たち――悲しいほど少なかった――の意識の欠片を見つけると、女は自分の記憶を吹き込み、協力を求めた。同調する精神は増えたが、それでもやはり、あの男が生み出す憎しみは減らなかった。

女は、クラウドのことを思った。地上で現実を生きているクラウド。ライフストリームを漂う憎しみを減らすには、現実の世界に満ちている憎しみを消さなくてはならない。クラウドの力を借りられないだろうかと女は思った。しかし同時に、そのことでクラウドが傷つくのではないかとも思った。女が知っているクラウドはとても傷つきやすい心の持ち主だった。

On the Way to a Smile

EPISODE: YUFFIE

FINAL FANTASY VII

忘らるる都。エアリスが命を落とし、皆で見送った小さな泉。セフィロスとの戦いが終わったことを報告するために、ユフィはクラウドたちと一緒にこの場所を再訪した。

一同はただ黙って泉のほとりに立っていた。声には出さなかったが、それぞれの言葉でエアリスに語りかけていた。

「じゃあな」

それはヴィンセントの低い声だった。ユフィが振り返った時には、ヴィンセントはすでに背中の赤いマントを見せていた。なんだこの人は。そんな一言だけで解散する気なの？

「待て！　待て――――！」

慌てて追いかける。

「こんな別れ方ってあり？　みんな一緒に戦った仲間じゃない」

ユフィの抗議にもヴィンセントは立ち止まらない。駆け出し、追い抜いて回り込み、顔を見た。目が遠くの一点を見つめているようだった。何を考え、何を思っているのかはわからないが、その思いの強さだけはわかる。自分にはこの人を止められないとユフィは一瞬でさとった。

「元気でな」

となりを通りすぎる時、ヴィンセントが言った。意外な言葉にたじろいだが、ユフィは初めてヴィンセントの心に触れたような気がしてうれしくなり、それで気が済んでしまった。

クラウド、ティファ、バレット、シド、レッドⅩⅢが二人の様子を見ていた。

「どこか、行くところがあるみたい」

ユフィは仲間たちのところへ戻って報告した。

「女のところだろ。おれ様もそろそろ行くかな」とシド。

「おう。そうだな。おれもだ」とバレット。

みんな、会いたい人がいるんだ、とユフィは思う。その気持ちを認めながらも言わずにはいられなかった。

「なんかさー、みんな、あっさりしてるよね」

「その気になりゃあ、いつでも会えるだろうが」

シドが歩き出しながら言った。クラウドとティファもうなずいている。レッドⅩⅢも同意している。レッドったら無理しちゃって、とユフィは思う。

「そだね」

ユフィも心にひっかかりを感じながら結局受け入れてしまった。

「行こう」

クラウドとティファが歩き出す。ああ、この場所を出たら、本当にお別れなんだとユフィは思った。それなら、それでもいい。思い切りお別れを楽しもう。

「ああそうだ！」

バレットが突然大声をあげる。もう、お別れ気分が台無しじゃない。おっさんはこれだからイヤ。見ると、バレットが自分の義手からマテリアを外してクラウドに差し出している。

「これ、どうする？」

「ちょっと待った！」

大事なことを忘れていたのに気づいたユフィは、思わず大きな声をあげてしまう。自分の旅の目的を忘れるところだった。

「マテリア全部、いや、半分でいいからくれない？　ウータイへ持って帰って大事に保管するからさ。そりゃ、ちょっとは使うけど」

仲間たちの視線が集まる。注目されるのは好きだが、やはり少しは後ろめたい気持ちがある。ユフィはその後ろめたさを隠そうとしゃべり続ける。

「あたしはそもそもマテリア探しの旅の途中だった。みんなに近づいたのもマテリア・ハンターのカンに従っただけだったんだ。みんなのマテリア、ホント、魅力的だったし」

神羅《しんら》の研究と技術、星命学の叡智《えいち》が、クラウドたちのマテリアに天然産では不可能な「力」を与えていた。

「正直、みんなの目的とか、過去とか、あまりわかっていなかった。今でもわかってないのかもしれない。でも、あたしはみんなと一緒に戦ったでしょ？　それはマテリアのためじゃない。少しでも役に立ちたいと思ったから。仲間だって思えたから。ねえ、思い出してよ。あたしが何度みんなのピンチを救ったと思う？」

言ってからユフィは思う。しまった。そんな事実はなかった。

「うん、何度も助けてくれたよね」

ティファが言った。

「え？」

ユフィは戸惑う。

「明るくて強い子って、わたしの理想だったの」

「ええっ⁉」

ユフィは驚いてティファの言葉の続きを待った。しかしティファは黙って微笑《ほほえ》んでいる。

「って、本気で言ってるの？」

思わず問い返す。

「うん」とティファはまっすぐにうなずいた。

「えへへ」

照れながらもユフィは、しめしめと思っていた。意外とすんなりマテリアをもらえそうだ。

「どう思う、バレット」

クラウドは突然バレットに話をふった。どうしてバレットに相談するのよ、とユフィは思ったが黙っていた。

「うーん――」バレットが唸《うな》る。「確かにユフィはいい仲間だ。でもマテリアのことは全然別の話じゃねえのか？」

「別じゃない！　同じ。同じ話！　みんなはセフィロスを倒せば終わりかもしれないけど、あたしにはウータイ復興という大きな夢があるの。そのためにはマテリアは欠かせないの」

「復興ねえ――」

今度はシドが口を挟む。おっさんは黙ってろ！　とユフィは睨《にら》み付ける。

「それを言うならミッドガルも結構大変なんじゃねえのか？」

「そうだな」

クラウドはシドに同意してから考え込む。

「なあ、ユフィ。こういうのはどうだろう。マテリアは全部、ユフィにやる」

「やった！」

「でも、おれが保管する」

「ええと——子供ダマシ！」

ユフィは馬鹿にされたのだと思い、抗議しようと身構えた。

「ちがうんだ。おれたちのマテリアはほとんど戦いの道具だろう？　ウータイの役にはほとんど立たない。だから、治療に役立つものはみんなで分け合って、残りはおれが預かる。危険なマテリアの扱いに一番慣れているのは、おれだと思う」

「確かに戦いの道具なんてもういらないけどさぁ——」

「だろう？」

「使わなくても、あれば安心するじゃない」

「それじゃあ、こうしよう。ユフィがウータイに帰って、マテリアが無くて不安だって思ったら連絡をくれ。その時にまた考えよう」

クラウドの口調は穏やかだったが、結局のところ、マテリアは自分が持つと決意していることが伝わってきた。それに、クラウドが言った通り、驚異的な破壊の力を持つマテリアがウータイにたくさんあっても、もうあまり役には立たないのかもしれない。時代は変わったのだ。それはユフィにもわかった。

「わかったよ。あたしのマテリア、クラウドがちゃんと預かってね」


「ってワケなの。だから、あたしは世界一のマテリア持ち。どう？」

故郷、ウータイへの道中、ユフィは自分を乗せているチョコボ相手にずっと話していた。

「どっかで着替えとか買った方がいいと思う？　この服、長旅でよれよれだからさあ」

ユフィは、歓迎のために町の入り口で自分を迎えてくれるはずの、ウータイの人々のことを考えていた。メテオ飛来による星の危機が、自分たちの活躍によって回避されたことはすでにみんな知っているはずだ。だから、みんな、あたしの話を聞くために集まってくるはず。

「あ、そうか。ヨレヨレの方が、苦労が伝わりやすいかもね。うん、そうだね。服はこのままでいいや。それより、話を整理しておかなくちゃ！」

しかし、ユフィは、世界が終末を迎える一歩手前まで追い込まれた深刻な事件の、事の経緯をほとんど知らないことに気づいた。

「ヤバイよ――」

誰が何を考え、その結果何が起こったのか。クラウドたちの旅に途中から加わったユフィにはわからないことが多かった。

「ちゃんと聞いてくれればよかったな――でもさ、いいじゃんね。テキトーに作っちゃえば。悪い神羅カンパニーのソルジャーだったセフィロスがもっと悪いことを考えた。クラウドたちは神羅カンパニーと戦いながら、セフィロスを追いかけた。困ったセフィロスは黒魔法メテオを使って小さな隕石《いんせき》をこの星にぶつけようとした。それをあたしたちが命がけで止めた。うん、完璧《かんぺき》。これなら分かりやすい」

ユフィは知らなかったが、ユフィの理解よりは、ずっと詳細な情報がウータイには伝わっていた。ただひとつ、ユフィと仲間たちが大きく関与したことを除いては。

「あ」

ウータイが見えてきた。旅の途中、何度か立ち寄ってはいたが、こうして一仕事終えて帰る気分はまた違った。ユフィはチョコボを止めてまだ遠い故郷の姿を眺めた。

「え？　なんで？」

理由がわからない涙をユフィはぬぐった。

朝早く。ユフィはチョコボを解放してからウータイに入ると、慣れ親しんだ道のりを、顔を上げずに走った。そして父のゴドーがいるはずの家へ一目散に駆け込んだ。自分が帰ったことを町の顔見知りにはまだ気づかれたくない。服はヨレヨレの方がいいという結論には達したが、顔だけは洗っておきたかった。

父のゴドーは玄関の横に立って、小さな木槌《きづち》で柱をトントンと叩《たた》いていた。

「何してるのさ」

ユフィが声をかけるとゴドーが振り返った。

「帰ってきたよ。全部終わったよ」

ゴドーは重々しくうなずいてから——

「よくぞ無事で帰ったなユフィ。しかし娘よ、町が大変なのだ。手伝ってくれ。ウータイには若い力が必要だ」

それだけ言うと、大工道具が入っているらしい布袋を背負って、町の中心へ向かって歩き出した。

「ちょっと待った！」

ユフィは慌てて追いかける。父は急いでいるらしく、すたすたと歩いていく。

「あたしの活躍聞いてるでしょ？　歓迎はどうなったの？　町のみんなは？」

ユフィは抗議し、ライフストリームを呼び出して星を救ったのはユフィと仲間たちだという短い物語をさらに簡潔にして話した。ゴドーは立ち止まり、怪訝《けげん》な顔をして娘を見つめた。

「おまえの活躍など何も知らんぞ。わしが知っているのは、神羅のアホどもと頭がおかしくなったソルジャーの間でもめ事が起こり、世界はそれに巻き込まれたという話だ。最後は怒った宇宙の意志がその諍《いさか》いを、この星ごとぶっ壊して解決しようとメテオを送り込んだが、ワシらの星は対抗してライフストリームを放出してメテオを消し去った——そういう話だ」

ゴドーは真面目《まじめ》な顔で語った。

「宇宙の意志？　その話、誰が考えた？」

「ワシの解釈だ。真実は別のところにあるのかもしれんが、ワシにはこれで十分。それよりユフィ。その、おまえが活躍しただのなんだのという話は誰にも言うなよ。ライフストリームの影響は大きい。あれが星を救ったことは理解できても、はけ口のない不満は溜《た》まっている」

「なんだよそれ！」

ユフィは、シュシュシュと正拳を空撃ちして異議を唱えた。

「その元気、町のために使ってくれ」

「町がどうなったってのさ――」

口を尖《とが》らせてそう言いながら、ユフィは周囲を見回す。来る時は気づかなかったが、大部分の建物が、程度の差はあるが、壊れていた。そのうちの一つ、古くからある赤い屋根の修行堂の壁に大きな穴が空いていた。屋根瓦《やねがわら》もかなりはがれ落ちているのを見ながら――

「何があったの？」

「この町はライフストリームの通り道になったのだ。町中の建物がミシミシ鳴り続けて、そりゃあ恐ろしい夜だった。まあ、ミッドガルの被害に比べればたいしたことはないのだろうが、ここは古い建物が多い。見た目はそれほどじゃなくても、柱や梁《はり》が折れているかもしれん。いつ倒れてもおかしくないだろう。だからワシはこの木槌で――どうした、ユフィ」

ユフィは壊れた建物の修復のために、町のあちらこちらから集まってきた人々を眺めていた。包帯を巻いている人が多い。

「みんな大丈夫だった？　怪我《けが》人は？」

「怪我人は結構多いぞ。でも、深刻な者はそれほど多くはない」

「多くはないってことは、いるんだね」

「それはそうだが――おまえに何ができる。それより建物の修理を手伝え」

ゴドーは道具箱から新しい木槌を取り出してユフィに差し出した。

「それもいいけど、これ、役に立ちそうだね」

ユフィは回復系のマテリアを取り出して父親に見せた。

「ほう――」ゴドーは警戒するように目を細める。「他にも持っているのか？」

「ううん、これと同じ種類のがあと何個か。本当はもっといっぱい持ってくる予定だったんだけどね。ほら、攻撃系のって危ないだろ？」

「よろしい、賢明な判断だ」


ゴドーは赤い屋根の修行堂に近づくと、状態を調べ始めた。

「これは簡単に直せそうだな」

そして、周囲に向かって大声で呼びかけた。

「おーい、みんな手伝ってくれ！　ここを病院にするぞ」


マテリア・ハンターとしての生活を終えたユフィは、ドクター・ユフィとして華麗なる転身を遂げたはずだった。訪ねてくる誰もがユフィに感謝して帰っていった。自分の活躍を誰かに話したいと思う気持ちはまだあったが、ライフストリームで怪我をした人相手にそれをするほど浮かれてはいなかった。人々の感謝の言葉が、その欲求を相殺《そうさい》してくれた。

ユフィが持っているマテリアでも治せないほどの傷を負った者もいたが、治療を繰り返すことによって徐々に良くなるはずだった。問題はユフィ自身の精神力が持たないということだった。マテリアはそもそもライフストリームの結晶だ。安定した結晶から力を取り出すには、震動を与える必要があり、そのトリガーになるのが使用者の精神の波動だった。その結果、マテリアの使用者は精神を大きくすり減らすことになる。

ユフィは耐え難い疲労、そして睡魔に襲われ、夕方にはドクター・ユフィの看板をしまい込むとさっさと布団にくるまり、眠ろうとした。

「うう」

明日は治療を休んで、どこかへ行ってエーテルか、同じような効果のあるものを調達に行こうと考えた。そうだった。クラウドたちもエーテルが無くなると、旅を中断していたっけ。

ドンドン――

ガンガン――

誰かが壁を叩いている。

「うるさいぃぃいいい」

ユフィはそう叫んでから跳ね起きる。急患だろうか？

ドンドン――

ガンガン――

いや、変だ。この音はまるで――そう、釘《くぎ》を打っている音。

「これでいいだろう。とりあえずユフィを閉じ込めておくことはできる」

父の声が聞こえた。

「え？」

ユフィは慌てて飛び起きて扉に駆け寄る。扉を開こうとするが、ビクともしない。

「おやじ、何をした！　扉が開かないぞ！」

「自分の胸に聞いてみろ。まったく、一番大事なことを隠しやがって。しばらくそこで反省していろ！」

ユフィには、反省すべきことなど何も無いように思われた。試しに、胸に手を当ててみたが、胸は、ユフィが生きているということ以外、何も教えてはくれなかった。

「おやじ！」

しかしもう誰も応《こた》えてはくれなかった。

「誰かいないの？」

自分でも驚くほど心細そうな声が出た。そしてもっと驚いたことに、こんな状況でも睡魔は許してくれなかった。

「クソオヤジめ。ひと眠りしたら――覚えてろ」


ドン！

誰かが壁を蹴《け》ったような音がした。ユフィは目を覚ます。今度は数時間は眠ったという気がした。

「もう、なんだってのよ――」

「ばかユフィ！」

自分と同じ年頃の女の子の声だ。知らない声。知らない声に馬鹿と言われると腹立たしさは倍増する。

「どうしてあたしがバカなのよ」

「ユフィのせいでユーリのおばさんが病気になっちゃったんだから！」

「病気？　なにそれ。どうしてあたしのせいなのよ」

「ユフィがミッドガルから持ってきたんでしょ！」

「なんの話⁉」

しかしもう答えはなかった。その代わりに、大人の声がもごもごと聞こえてくる。きっと、あたしと話すなと言っているんだ、とユフィは思った。


ゴン！


時折、壁がなった。誰かが修行堂に石を投げたのだろう。修行堂は大切な建物だ。その修行堂に傷をつけるほどに、自分は憎まれているのだと思ったら、胸に込み上げるものがあった。

「あたしが何をしたのさ」

壁の隙間《すきま》から朝の光が差し込むまでに、ユフィは何度もその言葉を繰り返した。

「ユフィ?　ユフィ、生きてる?」

なんだその質問は、とユフィは思う。しかし、声に含まれた心配するような調子に気づいて、壁際にすり寄った。

「誰?」

「おれ、ユーリ。わかんないよな。子供の頃、結構一緒に遊んだんだけど」

また聞き覚えの無い声。幼い日々の友人の顔を思い浮かべても見当が付かなかった。しかし、その名前には聞き覚えがあった。ユフィのせいでユーリのおばさんが病気になった――そのユーリだろう。

「おばさん、どう?　病気なんでしょ?　あたしのせいだってのは認めないけど」

「おばさん?　ああ、母さんのことか。確かに病気だ。わけがわからない病気。耳から黒いネバネバしたものがひっきり無しに出てくる。痛みもかなりあるらしい。見ていると辛《つら》いよ」

「そう――大変だね」

その症状はとても恐ろしく思われ、ユフィはうつむいて想像を巡らせながら言った。

「うん。でも、ユフィのせいじゃないと思う」

「え?」

思わず顔を上げる。

「ちょっと待って、ここから出してあげる」

ギギギ。ギギギ。釘を抜いているらしい音が聞こえてきた。

やがて扉が開き、ユーリが顔を見せた。

「やあ」

「ども」

鼻筋が通った、美形と言えば美形。長髪を後ろで束ねて縛っている。しかし、ユフィにはやはり見覚えのない顔だった。

「ユーリ、久しぶり！」

「覚えててくれたんだ！」

「もちろん」

心が痛んだが、事情がわからない今は、多少調子よく相手をした方がいい。

「まずい、ゴドーさんたちが来た、逃げよう」


ユフィは差し出されたユーリの手を、わけもわからず握った。すぐに修行堂から引っ張り出され、そのまま走った。

「ユフィ！　ユフィ！　待て！　おい、ユーリ、病気をばらまく気か！」

父の声を背中で聞きながらユフィは町の出口を目指して走った。無性に腹が立った。

ユフィとユーリは手を繋《つな》いだまま走り続けた。もう誰も追いかけて来ないようだった。不意にユーリが立ち止まり、後ろを走っていたユフィはぶつかってしまった。

「こっちだ」

ユーリは左に進路を変えて走り出そうとした。その時、ユフィにも、ユーリが足を止めた理由がわかった。モンスターがシューシューと攻撃的な音を出して二人を見ていた。モンスターとの戦いに慣れた者ならザコと呼ぶ種類の相手だった。毒にさえ気をつけていればなんということはない。ユフィはユーリの手から自分の手を引き離すと、戦闘態勢に入った。武器はないが、この程度ならなんとかなる。

「ユフィ、そいつは毒があるよ」

「知ってるわよ」

ああ、とユフィが思い出す。昔もこんなことがあった。そうだ。ユーリとはよく遊んでいた。あれはダチャオ像の近くで遊んでいた時。虫に毛の生えたような小さなモンスターが飛んで来た時、ユーリはそのモンスターの特徴を一気にまくし立てると逃げ出した。置いていかれたユフィは、襲ってきたモンスターに刺されて三日ほど寝込んだ。

「大丈夫。マテリア持ってるから」

シュッ！　という音とともにモンスターは地面から飛び上がりユフィに向かってきた。とりあえず叩き落とそうと判断した時、小刀が飛んで来てモンスターを貫く。モンスターは地面に落ちて少し痙攣《けいれん》したあとに息絶えた。

ユフィはユーリを見る。ユーリは小刀を回収して左手の甲につけた小手の中にしまいこんでいた。改めてその姿を見ると、完全に旅装を整えていることがわかる。

「昔さ、ユフィに弱虫扱いされた時とは違うんだよ」

「だったら、最初から戦えばいいじゃない」

「おれにもしものことがあったら、母さん、ひとりだからさ。さあ、行こうよ」

「どこ行くのよ。お母さん、ひとりにしておいていいの？」

「ちょっとの間だ」

そう言うとユーリは背負っていた革製の鞄《かばん》から中型の手裏剣を出した。ユフィが普段使っている大型のものに比べると、投げた時の安定性に問題はあったが、幼い頃から慣れ親しんだウータイ伝統の武器だった。

「使ってよ」

「うん」

ユフィは早速投げてみた。手裏剣は回転しながら飛んでいき、空中に大きな弧を描いて戻ってきた。

「よっ」

慣れた手つきでユフィは受け取る。

「さすがだね」

そう。さすがでしょ。あたしはこうやって戦い、星を救った。ライフストリームを呼んだのはあたし。本当なら——

「ごちそう、楽しみにしてたのにな」

「今度、おれが食べさせてやるよ。カメ道楽でさ」

「ごちそう、ないじゃんか」

ウータイの町の灯《あか》りが遠くに揺れる高台の上にユフィとユーリは座っていた。ユフィはユーリから何をどう聞き出すべきか考え、ユーリは追っ手が来ないかと目を凝らし、しばらく二人は黙っていた。

「ミッドガルの様子はどうだった？」

ユーリが視線を周囲に巡らせたまま聞く。

「グチャグチャだったよ。ライフストリームが来たし、すぐ近くまでメテオが来たし、その少し前に爆発や——戦いもあったから。でも、あたしはそんなにあちこち見て歩いたわけじゃないから——」

そう。他のことと同じ。あまりよく知らない。

「病気はどうだった？」

「それさあ——なに？　あたし、何も知らなくて。どうして閉じ込められたのかも知らない」

「ゴドーさんは何も？」

「うん。きっとあたしはまだ子供だから、何を言ってもわからないと思っているんだよ」

「そうか。でも、ちがうと思う。ゴドーさんはなんて言ったらいいかわからなかったんだと思うな。おれも母さんになんて言ったらいいのかわからないし」

ユーリは何故《なぜ》か申し訳なさそうに言った。

「大変な病気みたいだよね」

「うん。ミッドガルからの情報じゃ、たいてい、死んじゃうんだって」

「そう――」

ユーリに同情しつつも聞かずにはいられなかった。

「どうしてわたしのせいなの？」

「昨日、ミッドガルで恐ろしい病気が流行っているっていう情報が入ったんだ。その直後にうちの母さんとあと何人かが、その病気にかかっていることがわかったんだ。つまり、君がミッドガルから病気を運んできたってことだね。最近のミッドガル帰りはユフィだけだから」

ユーリはまた申し訳なさそうな顔を見せたが、ユフィは気づかなかった。

「ちょっと待った！　あたしは確かにミッドガルへ行ってきたよ。でも、どうしてあたしのせいなのよ。ユーリのお母さんと会ってないし、他の人だって知らないもの！　それにあたしは病気になっていない！」

ユフィは思わず立ち上がって抗議した。身体の奥底から闘志が沸き上がってくる。

「ネズミは病気を運ぶけど、自分は病気じゃない」

「ネズミ⁉」

「いや、大人たちが言ってることだから」

「それに、母さんと、他の患者たちは怪我をしていたんだ。それで、ユフィの治療を受けた。あの修行堂でね」

「濡《ぬ》れ衣だ！」

「その後、発症した」

「あたしは関係ない！」

ユフィは思わずユーリに摑《つか》みかかった。ユーリは何も悪くないことはわかっていたが、そうせずにはいられなかった。

「濡れ衣を晴らそうよ」

ユーリは落ち着いて言った。ユフィの手から力が抜ける。

「そうだね。そうだよ！　あたし以外にもミッドガル帰りはいるはず。そいつを見つけ出してさらし者にしてやる！　あたしを疑った奴《やつ》らを見返してやる！　あたしを誰だと思っているんだ！」

ユフィは四方八方に向かって叫んだ。

「相変わらずだね。あたし、あたし、あたし、あたし」

「どういう意味よ」

「犯人を捜すより、病気を治す方法を考えない？　探そうよ、一緒に」

「――でも」

確かにその通りかもしれない。しかし、腹の虫がおさまりそうにない。

「ユフィが病気を治してくれたら、町のみんなは見直すと思うな。疑ったことだって謝ってくれる」

「うーん――」

ユフィは考える。ユーリの言うとおりだ。その方がみんなのためにもなる。でも、自分の気持ちはそれでおさまるだろうか。

「ユフィ？　母さんには時間がないんだ。力を貸して欲しい」

「うん」

そうだね。犯人捜しはあとでゆっくりやればいい。

ウータイを逃げ出した二人は、南下してマテリアの洞窟《どうくつ》と呼ばれる場所へ向かっていた。そのあたりは、かつて神羅カンパニーが魔晄炉《まこう》の建設予定地とした地域で、戦争が始まる原因にもなった土地だった。魔晄炉の建設予定地。単純に考えれば、ライフストリームが豊富な土地だと言うことができる。以前は時間をかけて育てられ、特別な能力を獲得したチョコボに乗らなければ来られない場所だった。しかし、ライフストリームが地上に噴き出した時に地形に変動があったらしく、徒歩でも近づくことができるようになっていた。

ユーリがユフィの力を借りたがったのは、ユフィが事件の当事者だからという理由だけではなかった。ユフィが幼い頃から垣間《かいま》見せていたマテリアへの異常な執着もその理由だった。

「ミッドガル病を治すマテリアもきっとあるはずだよね？」とユーリは言った。ミッドガル病とはユーリが名付けた母の病気の名前だった。

「聞いたことないんだけどね」

「そうか——知ってそうな人、いない？」

ユーリが最新型と思われる携帯電話を差し出しながらユフィに聞いた。ユフィには心当たりがあった。

「ちょっと待ってね」

ユフィは旅の間ずっと使っていたＰＨＳを出して耳に当てた。反応は無い。仕方なくメモリーを見て、とある番号を確認する。ユーリから携帯電話を受け取って、その番号を入力した。発信ボタンを押すとほどなく相手が出た。

「あ、ティファ？　あたし、ユフィちゃんだよ」

ティファ、続いてクラウドと話したが、ミッドガル病を治療するマテリアが存在するかどうかはわからなかった。ただ、病気の恐ろしさだけがわかった。ミッドガルでもまだ有効な治療法は見つかっていない。そして、かなり多くの人が命を落としているようで、人々は怯《おび》えている。メテオの次は病気だ。

「やっぱり知らないって」

「そうか――治療法はどうかな？」

「――ほら、洞窟だよ。あれ、前はなかったよね。マテリアを探そう！」

ユフィはユーリの顔を見ずに携帯電話を返すと、ライフストリームが噴き出した跡と思われる、断層にできた穴を目指して走り出した。

洞窟の中で約一時間、ユフィとユーリはマテリアの輝きを探していた。

「もう！　どうしちゃったんだ！」とユフィは苛立《いらだ》ちを隠そうともせずに言った。

「これ、新しい洞窟だよね。だからないんじゃない？　どうしてここを選んだの？」

ユーリが不安そうに言った。ユフィに理由など無かった。

「ライフストリームが駆け巡ったんなら、マテリアが運ばれてきたかもしれないじゃない！」

言ってはみたが、はたしてそんなことが現実にあるのかどうかユフィは知らなかった。

「――ごめん、信じるよ」

その声が震えている。薄暗い洞窟の中をモンスターと戦いながら歩き回るのはユフィも好きではなかった。好きな人なんかいない。

「おらー！　マテリアどこだー！」

恐怖心を、声を出すことで吹き飛ばそうとしていた。自分でさえそうなのだから、洞窟が初めてのユーリが怯えても仕方がない。少し優しくしてやろうか。

「一度外に出て、作戦立て直す？」

ユーリがほっとしたのが暗闇の中でもわかった。


まもなく出口というところで二人はモンスターに遭遇した。一見、モグラのような風貌《ふうぼう》だが、目と、全身を覆う針のような毛皮が動物とは違う気配を漂わせていた。

「楽勝！」とユフィは自分自身とユーリを励ましてから攻撃を仕掛けた。思い切り投げた手裏剣がモンスターにダメージを与える。対抗してモンスターは口から炎の塊を吐き出す。ユフィは間一髪でかわす。後方にいたユーリも大げさなジャンプで炎をやりすごす。炎は二人の間の地面に当たり爆発を起こした。

「ほら、ユーリ！」ユフィは爆発に気をとられている友人の注意をモンスターへと向けさせる。

焦ったユーリが叫ぶ。

「速変化招来!」

その時、ブーメランのように手元に戻ってきた手裏剣をユフィは今一度モンスターに投げつける。回転する刃がモンスターを確実にとらえ、二人は戦闘に勝利した。

「なんだよユフィ、おれの相手だったのに」

「遅い遅い。遅くてびっくり。でもさ、ちゃんと修行したんだ」

「運動神経鈍いけど、術ならなんとかなるかなってさ」

「だめ。その考え方がだめ。スピードは基本だよ。いい?」

ユフィは自分のスピードを誇示しようと、体勢を変えた時——

「ユフィ、あれ」ユーリの顔が恐怖に歪《ゆが》む。「ユフィ、見て!」

モンスターの炎が破壊した地面に穴が開き、そこから液体が染み出してきている。薄暗い洞窟の中ではよくわからなかったが、ただの水ではないことだけは気配でわかった。ユフィの全身に震えが走った。その液体が放つ妖気《ようき》のようなものを感じていた。

「逃げよう」

ユフィはそう言って、駆けだした。

その背後、それまでゆっくり地面から染み出していた液体が勢いよく噴き出した。洞窟の壁、天井を伝って外へ出ていこうとするようだ。やがて二人を追い越し、天井を伝っていた液体が、ユフィたちの上にも降り注ぐ。二人は頭を両手で隠して走り出す。迷わないように事前につけておいた目印を頼りに出口に辿《たど》り着いたユフィは悲鳴をあげていた。

視界がパッと開けた。洞窟の外に出たのだ。月明かりで外は明るい。ユフィは振り返り、様子を見た。恐ろしげな気配を発する液体は勢いを失ってはいたが、洞窟の開口部の内側を伝って地面を濡らしていた。その様子を見てユフィは気づく。黒い水だ。

「ユーリ、水が黒いよ」

しかし返事は無い。

「ユーリ⁉」

ユフィは一瞬躊躇《ちゅうちょ》したが、洞窟の中へ取って返した。入り口のすぐ近くにユーリは倒れていた。助け起こそうとしたが、ユーリの全身からは力が抜けていて、上半身を抱き起こすのが精一杯だった。

「立て、ユーリ、立て！」

「おれ、もうダメだよ。ユフィ、行って。このままじゃユフィまで――」

「ばか！　あんたのお母さんの面倒なんか見られないわよ」

ユフィは仰向《あおむ》けに倒れているユーリの頭の方へ回り、両脇に手を差し込むと力を込めて引きずりはじめた。

「もういいから――」

そう言ったユーリの口の端から黒い液体がドロリと流れ出した。

洞窟とウータイの中間地点あたりでユフィは座り込んだ。

「こら、ユーリ、歩け。あんたが死んだら、それもあたしのせいになる。ミッドガル帰りのユフィと逃げたユーリがミッドガル病で死んでみろ。みんなあたしを疑うに決まってる」

「そんな理由で」呼吸が苦しいのか痛みに耐えているのか、ユーリは途切れ途切れに言う。「おれをここまで引きずった――」

「そんな理由だよ」

「――わけじゃないよね。本当に――」

ユーリの言葉が途絶えた。ユフィは慌ててユーリを見る。だいじょうぶ。まだ生きている。なんとかお母さんのところまで連れて帰ってあげなくちゃ。ユフィは立ち上がり、再びユーリの両脇に手を差し込む。


「手伝おうか？」

声に振り返るとレッドⅩⅢがいた。

「レッド!?」

「ナナキって呼んでくれないかな」

レッドⅩⅢことナナキは不満そうに言った。

「ここで何をしてるのさ」

「世界を記憶する旅の途中。まだ始めたばかりだけどね」

ナナキはユーリを背中に乗せて軽々と歩いた。俯《うつぶ》せに、まるで洗濯物のようにナナキの背中に乗せられたユーリが落ちないように、ユフィは手を添えながら歩いた。ナナキは旅の手始めにウータイへ行き、そこを起点に東へ行こうと考えたと語った。ウータイを選んだのは西の端だからというだけの理由だった。ユフィは、ウータイは世界の中心であり、海を隔てて東西に世界は広がるのだと、ウータイ育ちらしい世界観を語った。時折、ユーリの背中が震えた。ユフィはそのたびにユーリが痙攣しているのではないかと怯えた。しかし顔を見るとユーリは笑っていた。口から出ていた黒い液体は今はおさまっているようだった。

「ナナキ、なんか面白いこと、言え」

ユフィは小声で言う。

「うーん――」ナナキは考える。「そうだ。オイラ、新しい携帯電話をもらったんだよ。PHSなんかもう古いんだって。クラウドたちについてミッドガルへ戻った時に、配ってたんだ。ほんとうは商品なんだけど、電話屋さんが、お店にあるだけ配ったんだ。こういう時は連絡が取れないのが一番不安だからって。いい人だよね」

「ふーん。でもあんた、電話使えるの？」

「もちろん。時間はかかるし、ドロがついたり、オイラのツバですぐダメになると思うけど、がんばればば使えるよ」そこまで言ってナナキは不安そうな目でユフィを見た。「あげないよ」

「よこせ！」

ユフィはナナキの正面に回り込む。ナナキは足を止める。

「あたしが持っていた方がいい。さあ、どこにある」

ユフィはナナキを観察する。

「本気なんだね」

そう言ったナナキの首に、赤い毛に隠れるようにベルトが巻かれていることにユフィは気づいた。ベルトは首を一周しているらしく――ユフィはしゃがんでナナキの喉元《のど》を覗《のぞ》き込む。何かの皮で作られた丈夫そうな小さなポーチがあった。

「へへへ、見つけた」

「ユフィ、オイラ、一生忘れないよ」

「うん。あたしのこと、ずっと覚えてて」

すっかりあきらめた様子のナナキの横にしゃがみ込み、ポーチに手を伸ばした。

「ユフィ、おれのをやるよ」ユーリだった。「おれももらったんだ。ミッドガルでさ」

「どういうこと?」

「おれもミッドガルにいたんだ」

「それって――」

すでに事情を理解したユフィの頭に血が上る。

「ずるい!」

「ごめん。おれが病気をウータイに持ち込んだんだと思う。すぐに母さんに伝染した。母さんから母さんの友達へ――せめて治療法を見つけられないかと思って――ちょっと降りるよ。ありがとう、ナナキ」

風に揺れる草原に座って――ナナキは寝そべって――ユーリの話を聞いた。

ユーリの母親は数ヵ月前に病気にかかっていることがわかった。成人がかかる、よくある病気だった。それ以来、母親はすっかり弱気になってしまい、いつも自分はもうすぐ死ぬという話をしていた。ユーリはそんな母親をなんとか助けたいと思った。幼い頃に遊んでいたユフィのことを思い出し、彼女に倣《なら》ってマテリア探しの旅に出た。しかしユーリには辺境の地に、天然のマテリアを探して入り込む勇気はなく、神羅の力に頼ろうとミッドガルへ行った。ちょうどメテオが空に現れた頃だった。何度も神羅ビルを訪ねたが混乱の極みにあった神羅カンパニーはまったく相手にしてくれなかった。同情してくれる社員もいたが、結局のところ、マテリアは神羅カンパニーの軍備であり、小売り用の商品ではなかったのだ。

「そして、あの日になった。おれはスラムの安宿でライフストリームが通り過ぎるのを待っていたんだ。朝になって、みんなプレートの上から避難してきたけど、おれは人の波に逆らって上へ行った。病気にかかっていた人がたくさんいたよ」

その後、ユーリは大急ぎでウータイへ戻った。どこへ行っていたのかと聞いてくる母親にはゴールドソーサーで遊んでいたと答えた。

「母さんの病気を治すマテリアを持ってこようとしたけどダメだったとは言えなかったんだ」

「まあ、気持ちはわかるよ」

もちろん、そのせいで自分がいわれのない非難を受けたことに対するわだかまりはあったが、それを言っても今は仕方がない。

「あのねえ」とナナキが口を挟む。「マテリアというのは古代種の知識の結晶だとも言われているよね」

「うん、聞いたことある」

「ユーリのお母さんの病気、古代種も治せなかったんじゃないかな。もしかしたら、古代種の時代にはその病気はなかったのかも。だから治療するマテリアがないんだよ」

ナナキが言った。

「こら、ナナキ！　ないって言うかなあ。見つかってないだけかもしれないのに」

「だってさ、もし、そういうマテリアがあるなら、そんなにたくさんの人がかかる病気が、放《ほう》っておかれるはずないじゃない――いて！」

ユフィがナナキの鼻先を指ではじいた。ナナキの言うとおりだと思った。そしてそれが腹立たしかった。ナナキの理屈で言うと、身体から黒い液を流して、痛みに苦しんだあげく死に至る病に対処するマテリアなど存在しない。

「ナナキ、きらい」

「ええっ⁉」


二日間、ウータイから離れただけだった。しかし、戻ってみると町の外に小屋ができていた。小屋と言っても、十人ほどが寝泊まりできる広さがあるようだった。

「なんだろうね。よし、ナナキ、偵察！」

「ええ？　オイラ？」

ナナキは不満そうな顔をしたが、ユフィは指で鼻をはじくふりをすると慌てて小屋に向かって駆け出した。

「よっぽど痛かったんだね」

ユーリが笑いながら言った。思いの他、元気そうだった。あたしとナナキのコンビでユーリを笑わせ続ければミッドガル病は治るのかもしれない。

ほどなく、ナナキが戻ってきた。

「ミッドガル病の人たちが四人、集められているよ」

その言葉にユーリとユフィは顔を見合わせる。

「ユーリ、乗って」とナナキが促す。ユーリがよろよろとナナキに乗ろうとするのを待たずにユフィは走り出していた。


ユフィは小屋に着くと、窓を探した。やっと小さな窓を見つけて中を覗くと、ナナキが言った通り、四人の患者が横になっていた。

「これ、どういうこと？」

ユフィは振り返ってナナキに聞いた。

「伝染病だから、町から出されたんだと思うけど――」

「わざわざこんな小屋まで作って？」

ユフィはそう言うと走り出した。小屋の周囲を回って入り口を見つけた。

「ユフィ、待って！」

引き止めようとするナナキを無視して、ユフィは小屋に入った。

「ひどいよ、ひどいよ！」

ユフィは誰にともなく言った。

「おや、ユフィ。ひさしぶりだねえ。でも、何を怒っているんだい？」

患者のひとりが穏やかな声で言った。なんとなく雰囲気が似ていたのでユーリの母親だと、すぐにわかった。

「病気だからって町から追い出すなんて、ひどい！」

理屈は理解できるが、納得できなかった。

「でも、仕方がないじゃないか。伝染病患者は隔離されるものだよ」

ユーリの母親は穏やかに答えた。

「でも——でも！」

ユフィは「でも」しか言葉が出てこない。

「良かったよ、おれの居場所ができて」

ユーリがとぼけた口調で言った。

「いいの？　ほんとうに？」

「今はね。ユフィが治療法を見つけてくれるまでは、ここで我慢するよ」

見つけられなかったらどうするのさ——とは言えなかった。

「あーあ、責任重大！」


ユフィは二週間ほど、ミッドガル病患者の世話をして過ごした。最初の患者は隔離されていたにも拘《かか》わらず、患者は次第に増えていった。

「どうやら、伝染病じゃないらしい。患者を隔離しても、病人は増え続けているんだ。つまり、なんだ、その——悪かったな、娘よ」

ゴドーがついに謝った時もユフィの気持ちは少しも晴れなかった。そんなことはもうどうでもいい。それよりも、原因が知りたいと思っていた。ナナキには情報収集を命じて、ウータイを追い出しておいた。ここにいて、もしかして、病気にならないとも限らない。


「ねえ、ユフィ。気づいたことがあるんだけど——」とユーリが言った。

「おれ、考えたんだ。病気にかかる人とそうじゃない人がいるのはどうしてだろう、って」

「何かわかったの？」

「うん。ここにいる人たち、前から別の病気で苦しんでいた人と、ライフストリームを浴びて大怪我をした人だよ。つまり、自分はもう死ぬんだって思った人」

「ホント？」

「うん、想像じゃなくて、事実。だっておれも——」

ユーリは言葉を濁す。

「もう死ぬって思ったの？　いつ？」

「ユフィと行った洞窟で。あの変な水を浴びて倒れた時——あ！」

ユーリとユフィは思わず顔を見合わせる。

「あの水が⁉」


病気の原因は水にあるのかもしれない。さっそくユフィは患者たちに聞いて回った。変な感じがする水を飲んだり浴びたりしたことはなかったか、と。

しかし、はっきりとした結論は得られなかった。ライフストリームの奔流が通り過ぎたあと、水の味が変わったことには誰もが気づいていた。地下水を汲《く》み上げて使っているウータイでは、水の味の変化は、地震のあとなどにはよくあったので、皆、それと同じだろうと思っていたのだ。ライフストリームを直接浴びた人以外の発病の原因が、水に含まれた何かと、水に触れた時の心の状態の組み合わせだ、と考えることは、それほど的外れではなさそうな気がした。

ユフィたちはふたつの見解をゴドーに告げた。

1　水を使うときは気をつける。効果はわからないけど一度沸騰させる。
2　自分は死ぬなどと思わない。

＊　＊

それから一年近く、ユフィは、二週間は患者の世話、二週間は治療法探しの旅に出るというサイクルで過ごしていた。患者の世話をしていると、早く治療法を見つけなければと焦ったし、旅に出ていると、患者が気になる。そんな思いが、このサイクルを作り出していた。

小屋は二棟に増えていた。子供も三人発症していた。八歳、六歳、四歳の兄弟だった。こんな子供が、もう死ぬなんて思ったのだろうかとユフィは驚いた。しかし、末っ子が川に落ち、助けようとした兄たちも一緒に流されてしまったのだという話を聞いた時、ユフィは、やはり自分とユーリの考えは正しいと確信した。

星痕《せいこん》症候群――今は世界中でそう呼ばれていた――は怪しげな水が媒介している。そしてその水は人生を諦《あきら》めたり、弱気になった人の身体に入り込む。

ユーリの母親はもういなかった。それでもユーリは、ユフィには笑顔しか見せないと誓っているかのように振る舞った。

さらに一年近くが過ぎていた。世界中に蔓延《まんえん》する星痕症候群の治療法は相変わらず見つかってはいない。ユフィたちと同じ見解を持つ人々は、今では世界中に少なからずいたが、感染者からうつるのだと信じている人々が大多数で、患者とその家族は絶望的な状況の中で暮らしていることが多かった。こうなると、家族も発症する確率は上がってしまい、伝染病説に裏付けを与えることになる。

もうすぐコレル村というあたりだった。ユフィは遠くから聞こえる爆音に気づく。音の正体を探し、やがて空を見上げると巨大な飛空艇が迫ってくるのが見えた。ユフィは手を振る。見たことのない形をしているけど、あれはきっとシドの飛空艇だ。
「おーい！」何度も跳ねながら手を振る。しかし飛空艇は頭上を通り過ぎていく。シドが飛空艇を作ろうとしていることは聞いていた。魔晄エネルギーではなく石油で燃料を作るのが大変だと言っていたはずだが、問題は解決したのだろうか。現在位置から西に進めばロケット村に着くはずだ。行ってみようかな、と思ったが、すぐにその手間が省けたことがわかった。飛空艇が引き返してきたのだ。その新型飛空艇はユフィを噴射に巻き込まないように少し離れた位置でホバリングをしてからゆっくりと着陸した。ユフィは手を振りながら駆け寄る。

「おーい！」

飛空艇の胴体のハッチが開いて赤い獣が飛び降りてきた。ナナキは勢いよく走ってくる。ユフィは抱きかかえようと両手を広げる。思い切りジャンプするナナキ。ユフィはしかしサッと横に跳んで逃げた。着地したナナキが抗議する。

「どうして逃げるのさ」

「だって、あんたでかくなってない？　あたし、潰《つぶ》されるのはイヤだよ」

「そんなにかわってないと思うけど」

「どっちにしても、もうかわいくないね」

「ひどい」

「よー、ユフィ！」

シドがやって来た。なんだか身体が引き締まって見える。それとも痩《や》せたのだろうか。

「新しい飛空艇？」

「おう！　なんとか完成だ。テスト飛行中よ」

「調子良さそうだね」

「まあな。でもな、燃料があんまり残ってねえんだ。あと星を半周くらいってところだな」

「調子悪そうだね」

「バレットのすっとこどっこい野郎に期待するしかねえ。アイツが石油出るところ探してるんのやら」

だ。連絡が有り次第必要な資材とスタッフを運ぶ準備ができてるんだが、いったいどこにいる

言葉とは裏腹にシドの口調には期待が滲《にじ》んでいた。

「バレットと会ったんだ！」

「おう。ま、いろいろあるみてえだが、今は元気にしてるんじゃねえか。なあ、ちょっと乗るか？」

「やだ」

「なんだよ、てめえ。まだ乗り物酔い治らねえのか？」

治るものなの？　とユフィは思うが、ここは言い返すべきだと判断する。

「あんなもん、治るか。ユフィちゃん唯一のウイークポイント。弱点の無い女は好かれないからね」

「おまえさんは弱点だらけだから大丈夫だよ」

「どういう意味だ！」

「ま、無理に乗せるつもりはねえ。じゃあ、気いつけて旅を続けるんだぞ」

飛空艇に戻ろうとするシドにユフィは思い出して声をかける。

「あのさあ、シド」

「なんだ」

「星痕を治すマテリア、あるよね？」

その言葉を聞いて、ナナキは視線を遠くへ移す。

「おまえはあると思ってんだろ？」とシドはユフィの目を覗くようにして言った。

「もちろん！」

ユフィが大きな声で答えると、シドは右手の親指を突き出して、

「だったら、ある！」と大きくうなずいた。

飛空艇へ帰るシドの背中を見送りながらユフィは思う。まいったね。これだからおっさんはもう。何の根拠もないくせに。でも、あたしが求めていた通りの言葉。

ほどなく、飛空艇のアイドリング音が爆音へと変わり、空高く舞い上がっていった。ロケット村の方角に機首を向けると一気に加速して見えなくなる。

「ああ」とナナキが呟《つぶや》く。

「あたしがいるじゃんか」

「置いてかれちゃった」

「どこ行くの？」

「北のマテリアの洞窟！」

ナナキの表情はよくわからない。しかし伏し目がちな様子から何か言いたいことがあるのだとわかる。ユフィは素早くナナキの背中に飛び乗り、前屈《かが》みになって両腕を首の下に回す。右手で左手の手首を摑んでグッと引く。ナナキの喉に左の二の腕が食い込む。

「苦しいよ、ユフィ」

「言え！　考えてることを言え！」

「わかったから離してよ」

ユフィは両腕の力を緩める。

「前と同じだよ。マテリアはないんじゃないかなぁって」

ユフィは黙って両腕に力を入れる。

「苦しいってば」

「星痕はもっと苦しい」

「うん」

ナナキは小さくうなずくとユフィを乗せたまま北へ向かって歩き出した。

ナナキの背中で揺られながらユフィは思う。あたしがマテリアを探し続けることが、ユーリと、ウータイの患者たちの希望になっているんだ。だから、マテリア・ハンターはやめられない。

人間たちの騒ぎをよそに星は日常を取り戻した。男は、ライフストリームに溶けてくる心の暗部とでも形容すべき精神が多くなったことに気がついた。男は、なかなか消えずに漂う、その闇《やみ》を気に入った。自分が地上に残した刻印がその生みの親だと思うとなおさらだった。男は思う。これを使えば、何か楽しいことができるかもしれない。例えば、ライフストリームをこの漆黒で埋め尽くすような。

男は星の命に身を潜めて世界を巡り、さらに多くの人間に刻印を刻み込んだ。地上には、日常を無くした人間が多く、そんな者たちが抱える心の暗闇は、男の誘惑によってさらに広がっていった。

やがて男は思う。これがおれの仕業だとクラウドに伝えたい。これがおれの仕業だと人間どもに伝えたい。それには肉体が必要だった。自分の声で伝えたいことがあった。自分の手で切り刻みたいものがあった。

母の力を借りようと思った。母の肉体の欠片《かけら》があれば、おれもまた肉体を手に入れることができるのだと男は考えた。そして、まず、精神だけで地上に立つ方法を試したが、うまくはいかなかった。男は自分の姿形の記憶を星に喰《く》わせてしまったので、うまく像を結ぶことができなかったのだ。そこで男は、ライフストリームの中から適当な容姿の記憶を見つけ出し、その姿で像を結んだ。少年の姿をしていた。やがて男は思い出した。地上での活動は、精神の自由さとは比較にならないほど窮屈だ。男は手足となる者をさらに二人作り上げた。地上に立った三人は他人であり、同時に自分自身だった。男の意志の力が作り上げた、星のシステムから逸脱した三人は、現実であると同時に、幻想の中の怪物だった。

男は未来を思い浮かべた。しもべたちが母を見つけ出す過程で、おれを知る者と出会えば、その精神から、おれはかつての自分を知るだろう。そしてさらに、母の力を借りれば、おれは完全に現実の存在になることができる。もし足りないものがあっても心配はない。クラウドがおれを完全にしてくれる。

——それが始まりになると男は思った。

On the Way to a Smile

EPISODE:SHIN-RA

FINAL FANTASY VII

古代種の遺跡——
神羅《しんら》カンパニー総務部調査課、通称タークスの主任であるツォンに課せられた任務は、セフィロスに先んじて、黒マテリアと呼ばれる秘石を手に入れることだった。しかし、あと少しというところでそのセフィロスが現れ、ツォンは瀕死《ひんし》の重傷を負わされる羽目に陥った。出血は止まらず、意識が遠のく。そして、最早これまでと死を覚悟した時に、エアリスと仲間たちが現れた。彼女たちもまたセフィロスを追って遺跡まで来たところだった。

古代種の末裔《まつえい》であるエアリスを監視し、機会を見計らって社への協力を要請することが、長い間、ツォンの日常業務になっていた。時に、部下たちが粗暴なやり方で圧力をかけることもあったが、神羅カンパニーとしては異例の、穏やかな作戦だった。かつてエアリスの実母を暴力的に支配しようとして、結果的に失ってしまったことへの反省が作戦の根本にあった。

この世界にたったひとりしかいない古代種の末裔、エアリス。その存在は厳《おごそ》かで、社の後ろ暗い部分を代表するような自分が近づける相手ではないとツォンは思い、ただ見守るだけの日々が続いていた。

最初に声をかけてきたのは、まだ幼かったエアリスからだった。

「いつも、ごくろうさまです」

少女の言葉にツォンは耳を疑った。黙っているツォンにエアリスは続ける。

「守ってくれてる。でしょ？」

任務のことを考えると、その勘違いを利用した方が良かったのだろう。しかし、ツォンは真実を正直に告げた。人生で最も正直だった瞬間だった。

「わたしは神羅カンパニーのツォン。きみに話があるんだ」

「神羅、キライ！」

走り去る幼い後ろ姿を見送りながら、ツォンは、これで良かったのだと安心した。いつか力づくで連れ去る日が来たとしても、騙《だま》すようなことだけはできないと思った。

やがて年月は過ぎ、どういう経緯か、大人になったエアリスが反神羅組織アバランチと接触を持ったことで事態は急転した。状況の把握が追いつかないことで動揺したツォンは、のちに部下たちに冷やかされるほどの偽悪的な態度でエアリスを扱った。そのことで部下が何か言うたびにツォンは思う。

偽悪ではない。エアリスにとって神羅は悪そのもの。悪は悪らしく——。

結局、ツォンは、死を意識しながらも、タークスとしてエアリスと接することを選んだ。

「クソっ。エアリスを手放したのがケチのつきはじめだ」

しかしエアリスは、そんなツォンのために涙を流した。単なる敵の一員としてではなく、子供の頃からの知り合いとして向き合った。思いがけない出来事に、ツォンは、死ぬのもそう悪くはないと考えたが、口から出た言葉は冗談めいた皮肉だった。

「まだ、死んでいない」

エアリスが立ち去った後、ツォンは静かに死を待った。しかし、それはなかなか訪れなかった。意識が遠のくのを感じても、精神がライフストリームと混ざり合うような気配はなかった。

ツォンを助けてくれたのはリーブだった。とてつもない能力でリーブが操作する、おかしなネコの人形――デブモーグリに乗っている――が目の前に現れたのだ。ケット・シーと呼ばれるこのネコの人形をエアリス一行に潜り込ませて動向を探ることが、社がリーブに課した任務だった。

「危ないところでしたなあ、ツォンさん」

「黒マテリアは？」

「――」

答えはなかった。人形は固まったように止まっている。しかし、やがて、

「失礼。いま、一号と二号を同時に操作中で――ちょっと難しいんです」

「そうか」

ツォンにはその難しさが理解できなかったが、リーブの邪魔をしないように、次の言葉を待った。

「黒マテリア、とりあえずクラウドたちに渡しますよ。セフィロスよりいいでしょう」

クラウド。クラウドがこの一連の出来事に深く関わっていることは、不可解な謎《なぞ》のひとつだったが、同時に、必然でもあるように思えた。クラウドこそがカギだ、とツォンは感じていたが、それがいったいどんな扉を開くのか、どれほど考えてもわからなかった。ともあれ、究極

の黒魔法メテオの発動を阻止するためには、黒マテリアはクラウドが持っていた方がいい。

「黒マテリアはクラウドへ——了解」

「ツォンさんのことは——社に連絡しときます」

「——ああ」

「それから——わたし、もうスパイだってばれてますけど、このままクラウドたちといますから。なんだか、面白い連中なんです。興味深いって意味ですけどね。さて、ちょっと動かしますよ」

幾つか聞き返したいことがあったが、大きなモーグリに抱きかかえられた時の激痛でツォンは気を失ってしまった。以降のツォンの記憶は断片的だった。

三人の男たちに運ばれ、ツォンは船に乗せられた。男たちはかつての上司と部下だった。リーブはなぜ、社ではなく、この人に連絡したのだろう。それに、この三人はずっと連絡を取り合っていたのだろうか。疑問が次から次へと浮かんできたが、ツォンには言葉を発する気力はなかった。道中、ほとんどの時間を意識をなくしたまま過ごし、やがて狭い部屋で目覚めた。サビた鋼鉄と潮の匂《にお》いが混じり合った独特の空気を吸って、ジュノンに運ばれたことを知った。すぐに医師が現れ、本格的な治療が始まった。

＊　＊

ツォンが現場を離れている間にエアリスは死に、黒マテリアはクラウドからセフィロスの手に渡っていた。セフィロスは黒マテリアを使い、究極の黒魔法メテオが発動された。

メテオが星に激突し、全てを消し去るまであと三日とも七日とも言われていた。結果に違いはなかったかもしれないが、人々は予想せずにはいられなかった。

＊　　＊

ミッドガル零番街。神羅ビル近く——

八番街に突貫工事で組み上げた鋼鉄の支柱の上に、ジュノンから空輸してきた砲台を無理矢理据えつけた危なっかしい巨大兵器。兵器開発担当のスカーレットによって「シスター・レイ」と名付けられたその大砲は、対セフィロスの最終兵器だった。ミッドガルで稼働している全ての魔晄《まこう》炉と専用パイプラインで接続された「シスター・レイ」は、ヒュージ・マテリアで増幅された魔晄エネルギーを遥《はる》か北方の大空洞で眠るセフィロスに向けて撃ち込み、敵を文字通り消し去ってしまう威力を持つと期待されていた。セフィロスが消えてしまえば、空に浮かぶメテオ——セフィロスが黒マテリアを使って出現させた悪夢——も消えると考えられていた。星を破壊する脅威が無くなれば、ウェポンたちもどこかへ帰って行くだろう。

「理論的には完璧《かんぺき》だ」

シスター・レイを見上げてルードが言う。

「理論的には？　それ以外的にはどうなんだ？」

レノがいつになく真面目《まじめ》な口調で質問する。

「おれ的には不安が残る」

「安心したぞ、と」

「どういう意味だ？」

今度はルードが問い返す。

「不安なのはオレだけかと思ってよ。これ、マジでいきなりぶっ放すのか？　試射っていらねえの？　ミッドガルは大丈夫なのか？」

「おれが大丈夫だと言ったら安心か？」

レノの矢継ぎ早に放たれた質問に、ルードはドスの効いた声で答える。

「怒るなよ、と」


結局、シスター・レイは期待された働きをすることなく、巨大なスクラップと化した。同時に、ウェポンの攻撃を受けた神羅ビルの役員フロアが破壊されてしまった。タークスの一員であるレノとルードは、仕事柄、破壊された建物は見慣れていた。しかし、神羅ビルとなると話は別だった。外での仕事が多く、オフィスで働くことなどほとんどない二人にとって、任務が終わった時に帰る本社ビルは、我が家のようなものだった。仲間たちのねぎらいや上司からの叱責《しっせき》、暇な時に女子社員をからかったり、からかわれたり。外にいる時が「ＯＮ」だとすればオフィスは「ＯＦＦ」。普通の社員とは逆だったが、それだけに、二人の神羅ビルへの思い入れは強かった。

レノとルードの動揺は、社長のルーファウスが行方不明だという情報でさらに大きくなった。ウェポンの放ったエネルギー波が社長室を直撃した様子は多くの者が目撃していたので、その情報は、単に社長の行方が分からないという以上の意味を持っていた。加えて、多くの役員、幹部社員たちの安否も確認できず、神羅カンパニーの指揮系統は混乱した。メテオが星に衝突するまで、あと数日と予想されていたこともあり、職場を放棄した者も多かった。

レノとルードは、ルーファウスの安否《あんぴ》を確認すべく、社長室まで行こうとエレベーターを待っていた。役員フロアへ直行するエレベーターは動いていなかったので、一般社員用を乗り継ぐしかなかった。

「動いてねえぞ、これ」

「非常停止装置が働いたようだ」

「よくできてるぜ、まったくよ」

「レノ、ルード。階段へ回れ」

突然声をかけられた二人は顔を見合わせてから、声の主を捜した。やがて、長髪の見慣れた、しかしここにいるはずのない男の姿を見つけた。

「主任！」

ツォンが死んだという報告は何日も前に受けていた。後輩のイリーナはツォンの敵討《かたきう》ちを主張して、クラウドを遙か北の地まで追いかけていったくらいだ。しかし、失敗して悪態をつきながらミッドガルへ戻り、復讐《ふくしゅう》復讐と呪文《じゅもん》のように呟いていたのを二人は覚えていた。つまり、タークスの誰もが主任は死んだものと思っていた。

「どうした？」

唖然《あぜん》とした表情のレノたちを見てツォンが言った。

「主任、生きてたのか」

「この通りだ。しかし、事の次第を報告している時間はない」

「ああ」

レノは説明などいらないと、何度もうなずいた。

「主任！」

突然、若い女の声が聞こえた。三人が声の方を振り返るとそこにはイリーナが立っていた。その、一番若いタークスは、死んだと思っていた上司と再会できた喜びを一切隠そうとしなかった。イリーナはツォンに駆け寄るといきなり抱きついた。

「イリーナ、おれだって、そうしたいぞ、と」

「我慢《がまん》することないですよ、先輩」

「遠慮《えんりょ》しておこう」

ツォンはイリーナの肩を掴んで押し返すと、三人の部下を見てうなずいた。

「——さあ、仕事だ」


暗闇——

ウェポンからの攻撃を受けた直後、ルーファウス神羅は暗闇の中を笑いながら滑り落ちていた。

この星にそんなものが眠っていたと考えるだけでもおぞましいモンスター、ウェポンの攻撃が社長室付近を襲ったとき、ルーファウスは爆風になぎ倒されて床に叩《たた》きつけられた。続いてビル自体が爆発を起こし、天井を構成していた鋼鉄製の部材が落ちてきて、ルーファウスの頭のすぐ横の床に突き刺さった。さらに続くであろう落下物を避けるために、身体を回転させてデスクの下に隠れようとした。ウェポンの攻撃がまっすぐ自分へ向かってくる様子を見ていた時は、確かに死への覚悟を決めていたはずだった。しかし、爆風になぎ倒された瞬間、怒りが込み上げてきた。死を受け入れた自分への怒りだった。あれは何だったのか。なぜ死んでもいいと思ったのか。怒りがルーファウスを冷静にした。ウェポンの次の攻撃が来るかもしれない。それまでに早くここから脱出しなくては。

デスクの下に転がって退路を探していたルーファウスの目に飛び込んで来たのはＬと印された小さなスイッチだった。

それはデスクの裏に隠すように取り付けられていた。こんなところにあるからには、何か非常用の装置にちがいない。例えば今この瞬間の役に立つような。ルーファウスは躊躇《ちゅうちょ》なくスイッチを押した。床の、ルーファウスが背にしている部分が、ガタンと音を立てて消えた。支えを失ったルーファウスはそのままの姿勢で一メートルほど落下した。固い床に身体が当たる衝撃と同時に、床が傾くのを感じた。そしてルーファウスは滑り落ちた。結局、おれは死ぬのかと思った。しかも、どうやら、床や壁の間を走り回る空調用ダクトの中で死ぬらしい。滑稽《こっけい》にもほどがある。自分の死体が発見された時、皆はどう思うだろうか。星の存亡を賭《か》けた戦いの真っ最中に、唯一敵と戦えるだけの戦力を持つ神羅カンパニーの社長が死亡。しかも、空調ダクトの中で。ふむ。笑える。その様子を自分で見られないのは残念だが。それにしてもこのダクトは何だ。こんなに急な角度で取り付ける必要があったのか。そもそもあのＬのスイッチは

――そこでルーファウスは二十年近く前の、父との会話を思い出した。やがて、声をあげて笑い出した。


五歳の頃だった。深夜に目が覚めてしまったルーファウスは、珍しく父親が帰宅していることに気がついた。早く寝ろと叱《しか》られるのを覚悟して部屋に入ると、意外にも父親は上機嫌で、できたばかりだという図面を見せてくれた。近く改装する予定の神羅ビル最上階フロア、社長室の図面だった。

「どうだ。この部屋から世界中に命令を出せるんだぞ」

「すごいね」

ルーファウスは感心したふりをしながら、図面から何かを読み取ろうと努力した。おまえは賢いな、と言ってもらえそうなことはないかと。しかし、何も得ることができず、ただ思いついたことを口にした。

「父さん。どこからダッシュツするの？」

ルーファウスの言葉の意味を父親は理解できなかった。

「ダッシュツって、なんだ？」

「敵が攻めてきたら、ダッシュツしなくちゃ」

「ああ――」

息子の意図を理解した父親は続けて言った。

「神羅カンパニーには敵なんかいない。仮にいたとしても、社長室はビルの七十階だ。誰も攻撃なんかしてこないさ」

「敵は宇宙から来るってパルマーさんが言ってたよ」

「パルマーが？」

父親の眉間《みけん》に深いシワが刻まれた。怒りのサインだった。宇宙開発担当のパルマーは後で父さんに怒られるかもしれない。でも、パルマーは、怒られるのが自分の仕事だと言っていたから大丈夫。ぼくが怒られるんじゃなければなんでもいい。しかし、同時に、自分が父親の機嫌を損《そこ》ねてしまったことも感じていた。

「父さん、ごめんね。ぼく、眠くなったよ」

「なあ、ルーファウス。おまえの言うとおりに――」プレジデント神羅は息子の言葉を無視して続けた。「敵の攻撃に備えて脱出用の設備を作ることにしよう。でもな、ルーファウス。父さんはそんなものは使わないぞ。いつかおまえが社長になった時用だ。いや、もちろん、おまえが社長になれるとは限らないけどな」

「父さん――」

「ふん。脱出だと？」

「父さん、ごめん」

「なぜ謝る？　自分の意見が間違いだと認めるのか？」

「うん」

「簡単な奴《やつ》だな！」

もうルーファウスは逃げ出すこと以外考えられなかった。

「脱出に使うモノには、わかりやすいようにマークをつけておいてやるぞ。Lだ。覚えておけ。Loser のLだ」

ともあれ、ルーファウスは感謝した。五歳の時の自分に。

破壊された社長室から地上フロアへと続く脱出用シューターは果てしなく長く、人生を回想するには十分な時間があった。忘れていた些細《ささい》な出来事の記憶が次から次へとよみがえった。そのほとんど全てに父親が登場することに気づいた時、ルーファウスは、自分もただの男――男の子だったことを思い知らされた。父親に認められたい、超えたいと願うが、感情表現の方法は反抗的な態度しか知らず、その結果、父親から得られるのは叱責か黙殺ばかり。そんなありきたりの図式に自分がピタリと当てはまるという事実は、これまでに聞いたどんな冗談よりもおかしかった。ルーファウスは暗闇の中、誰はばかることなく笑った。

脱出用シューターは唐突に終わり、ルーファウスは白い壁で囲まれた明るい部屋に勢いよく滑り出た。勢いあまって、それほど広くないその部屋の、シューター出口とは反対側の壁に激突して止まった。

「ヒッ！」

自分が発した情けない声がおかしく、ルーファウスはまた笑った。肋骨《ろっこつ》が数本折れているらしいことに気づいたが、それでも笑うのをやめなかった。壁に激突した時の、けっして人には見せられない屈辱的な体勢のままでルーファウスは笑い続けた。しかし、やがて折れた骨が、そろそろ現実に戻れと告げた。

痛みが少ない楽な姿勢を苦労して見つけ出したルーファウスは、床に転がったまま、視線を巡らせて部屋の様子を確認した。白い壁の、約五メートル四方の部屋だった。シューターの出口と並んで、質素な、病院を思わせるベッドが置かれていた。リネン類は、高級ではあるが、長い間使われないまま放置されていたのは明白だった。その壁に向かって右側は全面がクローゼットになっていた。左側の壁には鋼鉄製と思われる扉があった。ルーファウスは痛みに耐えながらにじり寄って、床に倒れたまま構造を確認した。取っ手やドアノブはなかった。小さなパネルがあり、そこを操作して開閉する仕組みになっているようだった。おそらく何桁《けた》かの数字からなるパスキーを入力する必要がある。しかし、ルーファウスにはパスキーの心当たりがなく、試行錯誤をする集中力も、今はなさそうだった。扉を開くことを早々に諦《あきら》め、次に反対側のクローゼットまで仰向《あおむ》けのまま足だけを動かして移動した。

誰にも見せられない姿だと思った。クローゼットの扉は簡単に開いた。中には、びっしりと神羅製の無菌保存ボックスが入っていた。一番下の棚――そこにしか手が届かなかった――からボックスを引っ張り出した。蓋《ふた》にはFor Lと刻印されていた。

「ふん」

その刻印を見てルーファウスは鼻で笑った。やがて、また、腹の底から込み上げる笑いを抑えることができなくなった。しかし、笑うと肋骨が痛む。なんとか笑いをかみ殺しながらボックスの蓋を開いた。予想通りポーションや化学合成薬が入っていた。劣化して毒性物質に変わっている可能性のある魔法系のものは避けて、合成系の鎮痛剤を口に放《ほう》り込むと、ルーファウスは全身の力を抜いて薬の効果を待った。視線の先、天井には大きくLの文字が記されていた。

「これ以上笑わせるな、オヤジ」


鎮痛剤の摂《と》りすぎで朦朧《もうろう》としたまま時間が過ぎていた。シェルターで薬物の力を借りて過ごす時間は思いの他、快適だった。しかし、同時に、この大事な時に陣頭に立てない苛立《いらだ》ちも感じていた。やがてルーファウスは、扉の操作パネルの横に、壁を支えに立ち、幾つかのパスキーを入力した。しかしそれは空しい試みに終わった。集中力が続かず、パスキーに本気で取り組めないのは薬のせいだったが、その薬を口に放り込んだのもまた自分だった。


レノとルードは破壊された社長室にいた。

「誰もいねえぞ、と」

「ああ」

「三回は確認したよな？」

「くまなく」

「つまり。生きてる」

「でも、どこにいる？」

床には天井から落ちてきたらしい数本の鉄骨があった。鉄骨の下にルーファウスがいないことは注意深く調べて確認していた。

「あとは――どこだ？」

メテオ接近の影響で、嵐が吹き荒れていた。タークスたちは迫り来るメテオを無視して、ルーファウスの捜索を続けていた。救護隊が駆け回っていたが、ルーファウスが見つかったという情報はなかった。

レノとルードは神羅ビル一階エントランスの奥から目立たない扉を通って、半地下になっている幹部専用兼非常用のエントランスを調べていた。ビルを建てた先代の社長、プレジデント神羅の趣味からすれば、とても質素なつくりだった。単に、重厚な構造の出入り口があるだけの、飾り気のない一画。天井、壁、床、全てに、むき出しの鋼鉄の板が張り付けられていた。

「何もないぞ、と。行こうぜ、ルード」

「待て」

ルードはレノを制して、壁の一部を指さした。

「色が違う」

ルーファウスは操作パネルの横に立ち、0から9の数字が記されたキーを見つめていた。全ての数字の組み合わせを試せばいい、と頭の中では理解していた。しかし、それは現実的ではない。試行錯誤の途中で気が狂ってしまうだろう。何か効率的な方法を考える必要がある。パスキーは具体的な意味のある数字かもしれない。しかし、ルーファウスにとって意味のある数字は、パスキーの設定を命じた父にとっては無意味だと思われた。すでに試した、数少ない共通の意味を持つ数字——例えば母親の誕生日、死んだ日——も扉のロックを解除できなかった。

この部屋に来てからどれほど時間が過ぎたのか判然としなかった。しかし、まだ生きているということは、メテオが空にあることを意味する。つまり、シスター・レイは予定通りの戦果を挙げず、セフィロスはまだ北の大空洞にいる。とすれば、遅かれ早かれ、メテオによる死がやってくるはずだった。

ルーファウスは死に思いを馳《は》せる。自分の精神は星を巡るライフストリームに溶けていくのだろう。その中には、例えば父の意識もあるのだろうか。父親の意識に語りかける自分の姿を想像したが、うまく思い描くことはできなかった。意識の姿とはどんなものだ？　いや、星を巡る膨大なエネルギーの圧倒的な奔流の中で、ひとりの人間の意識など、すぐに拡散してしまうのだろう。

「ああ、そうか」

星が無くなってしまうという大前提がすっぽり抜けていたことに気づき、ルーファウスは笑った。やがて白いスーツのポケットに手を入れ、鎮痛剤の瓶を取り出した。錠剤を三錠口に放り込んで噛み砕くと、改めて操作パネルを見つめる。

「ふん」

死は避けられないとしても、この部屋で死ぬのは、やはり嫌だと思った。ルーファウスは、操作パネルの存在に気づいた時から頭に浮かんではいたが、試さずにいた数字の組み合わせを入力した。その数字に期待することは、父親に対して、敗北を認めるようなものだと思っていた。しかし、意地を張っている場合ではなかった。

レノとルードは一区画だけ色の違う鋼鉄のパネルを調べていた。

「ただの壁だぞ、と」

レノの言葉が終わらないうちに、壁が小さく震えた。ほどなく、他とは色が違う、幅一メートルほどのパネルが床に吸い込まれるように下がり、消えていった。レノとルードは顔を見合わせてから、パネルが消えた後の壁に開いた穴に駆け寄る。穴の奥には白い壁が見えた。小さな部屋のようだった。

「お邪魔さま、と」

レノが部屋の中を覗《のぞ》き込もうとした時、ルーファウスが壁の横から顔を出す。

「ごくろう」

神羅カンパニーの若きトップはそれだけ言うと、その場に倒れ込んだ。

「社長！」

ルーファウスを介抱しようとするレノの横を通ってルードは白い部屋の中に入った。すぐにそこがシェルターだとわかった。

室内をザッと見回す。扉の横に操作パネルがあり、四桁の数字が点滅して、やがて消えた。ルードは知らなかったが、その数字は、先代の社長が使う可能性のある装置には習慣的に初期設定されるパスキーだった。先代がけっして忘れないであろう数字の組み合わせ、息子の誕生日。

「ルード、医者を捜してきてくれ。ついでに外の様子も」

「社長は？」

「ぐっすり眠ってる」

レノが言うとおり、社長は穏やかな寝息を立てていた。

「おれたちに会えて、ホッとしたんだぞ」

レノは冗談めかして言おうとしたが、それは失敗した。

「本当に良かった」

ルードは真面目に返すと、外へ出た。


ルードは雨と強い風が吹き付ける夜の闇の中に立っていた。神羅ビルの裏口だった。ビルからはがれ落ちたと思われる外壁プレートや建材が散乱していた。救護隊の活動を助ける、地上に設置された投光機と、上空のヘリからのサーチライトに、割れたガラスの破片がキラキラと輝いていた。ルードはその様子を落ち着いて眺めることができた。ルーファウスが生きていたという事実はルードを勇気づけた。ルーファウスこそが神羅カンパニー。良くも悪くも神羅は続く。神羅が存続するのであればタークスもまた続く。タークス以外の人生を考えることは苦痛だった。

低空に降りてきたヘリが巻き起こした風が、握り拳《こぶし》ほどの大きさの木片を吹き飛ばし、それがルードの頬《ほお》をかすめてどこかへ飛んでいった。ルードはニヤリと笑う。ルードはスリルを愛していた。それをまたルーファウスが保証してくれるのだ。

足下に注意しながら、ビルの正面へ向かった。そこかしこにうずくまっている人々がいた。

瓦礫《がれき》から飛び出した手や足もあった。生死が判然としない相手には声をかけてみた。生きている者の多くは、ルードの姿を見て、怯《おび》えた表情を見せた。スキンヘッドにサングラスのルードは常に暴力の臭いを放っている。普段と変わらないその反応にルードは満足した。

忙しげに動き回る救護隊は、神羅の出資によって作られた病院のスタッフたちだった。ルードはその中の一人を捕まえて、怪我人《けが》の居場所を説明した。反応が予想できなかったのでルーファウスの名は伏《ふ》せておいた。

「神羅の人ですか？」

「ああ」

「だったら、最優先ですね」

「たのむ」

相手はうなずくと担架を持った仲間に声をかけて、ビルの裏手の方へ回っていった。その後ろ姿を見送りながらルードは、案内すべきだったと思い直し、後を追おうとした。その時、無線機に向かって話している若い女の姿が目に入った。

クラウドの仲間、ユフィという名の娘だ。神羅カンパニーとは敵対するグループの一員だが、今は奴らと戦う必要はない。戦うのは、指示があった時か、こちらの作戦を邪魔してきた時だけだ。

ルードは、素早く物陰に隠れ、そのヒヨコヒヨコ動く、落ち着かない姿を見ていた。

「どこへ運ぶんだ？」

救護隊員がルーファウスを担架に乗せるのを手伝いながら、レノは聞いた。

「とりあえず病院へ。でも、その後は未定です」

「未定？　なんで？」

「なんでって——メテオが来るからですよ。星が無くなるかもしれないって時に、どこへ行くんですか」

「そりゃ、ごもっとも。さ、こっちだ」

レノは救護隊を先導して、正面エントランスホールへ続く小さな扉を通った。

「ああ、こんなふうになってるんですね。スキンヘッドの人、教えてくれなかったな。近道なのに」

「幹部専用の秘密通路だ。誰にも言うなよ、と」

「——はい」

レノは素直な返事に満足してうなずき、正面扉へ向かった。そのまま扉から外へ出ようとして、ユフィの後ろ姿に気づき、足を止める。

「おまえらに、まかせていいか？　ちょっと面倒な奴がいる」

振り返って救護隊員に言うと——

「もちろん、まかせてください。ところで、この患者の名前は？」

「目を覚ましたら本人が言うだろうよ。なるべくいい病室に入れといてくれ」

「もしかして——ルーファウス神羅？」

担架の後方を担当していた救護隊員が呟いた。

「シッ！」

後に「運命の日」、あるいは、単に「あの日」と呼ばれるようになる、奇跡の瞬間をルーファウスはミッドガルにほど近いカームの町で体験した。怪我人でごった返すミッドガルの病院では、ルーファウスの身の安全を確保するのは簡単な事ではなかった。意識を取り戻したルーファウスにレノが進言し、カームに神羅カンパニーが持っていた小さな家で落ち着くことになった。移動にはヘリを使えたので、もっと遠くへ行くことも可能だったが、ルーファウスはカームを指定した。部下の進言を尊重して移動には同意したが、星が破壊されるという時に逃げ回ることは美学に反する。

手を伸ばせば触れることができるのではないか——そう思えるほどにメテオは接近していた。そんな非現実的な風景に背を向けて、タークスの四人はミッドガルを駆け巡っていた。ルーファウスの安全——メテオの衝突を目前にして、気休めにもならなかったが——を確保したタークスが選んだのは、最後の瞬間まで仕事を続けることだった。

「メテオが衝突した後の事を考えても意味が無い。ギリギリで回避《かいひ》されることを想定して我々は動く」

そう言ってからツォンが部下に指示したのは、ミッドガル住民の救助と避難誘導《ひなんゆうどう》だった。すでにメテオ接近の影響は街のいたるところに出ていた。いよいよ強くなった嵐と、時折起こるミッドガル全体の震動が、建物の倒壊を引き起こしていた。想定外の出来事に鋼鉄の都市は悲鳴を上げていた。

「最後の任務が善行とは、主任らしい」

ルードがぽつりと呟いた。

「なんでだよ、と」

「罪滅ぼしになる」

「なーるほど」


やがて、元主任のヴェルドと当時の同僚たちがミッドガルに集まってきた時、これはメテオが見せた夢のようだとレノは思った。

かつて、タークスは、社の利益に反する活動をしたことがあった。世界を救い、同時に、事件の中心にいたヴェルドとその娘を助けるためにとった行動だった。あれほどタークスが強く結束したことはなかったかもしれないと、レノは思い起こす。進退窮《きわ》まっているミッドガルの住民たちを助けながら、レノは頬《ほお》が緩むのを意識せずにはいられなかった。

事件の後、プレジデント神羅と幹部たちが、タークスの解散と抹殺《まっさつ》——解雇ではなく文字通りの抹殺——を決定した時、その苦境からタークスを救ったのが当時副社長だったルーファウスだった。言わば恩人のルーファウスの、とりあえずとはいえ、安全を確保し、二度と会うことはないと覚悟して別れた仲間たちとの再会を果たし、レノは、もう思い残すことはないとさえ思った。

＊　＊

メテオはミッドガル直上で破壊され、星の危機は回避された。それを成し遂げたのは星から噴出したライフストリームの力だった。究極の黒魔法メテオに、同じく究極の白魔法ホーリーが勝利した瞬間であり、人知れず戦ったクラウドたちの功績も大きかったが、人々は、星自身が自分を守ったのだと理解した。


レノとルードはその瞬間を、仲間たちと離れ、メテオ直下の神羅ビルで迎えていた。

「なんでこのタイミングなんだよ、と」

打ちつけるライフストリームの影響で、ビルは激しく揺れていた。そこかしこの窓から入り込んだライフストリームは光のモンスターのように、ビルの中を破壊して回った。二人は安全な場所――トイレの個室に逃げ込んで壁越しに話していた。

「おれのせいだ」

「なにが？」

「おれが道具箱を取りに来たから――」

ルードが申し訳なさそうに言った。

「いいって。今さら気にすんなよ、と」

レノの様子がいつもと違うことに気づいたルードは黙り込む。やがて――

「ルード？」

沈黙に耐えられなくなったのか、レノが呼びかけた。

「なんだ？」

「長い付き合いだよな、おれたち」

「そうだな」

「相棒って感じか？」

「ああ」

「ようよう相棒」

レノの声になぜかいつもの調子が戻ってきたのをルードは感じた。続いて、ドアが開きレノが個室の外に出た気配がした。そしてすぐに、ルードの個室のドアが蹴《け》破られた。ルードは内側に倒れてきたドアを受け止めて、それを蹴り返した。

「何をする！」

「相棒に、最後のプレゼントだぞ、と」

「ドアが？」

「スリル。あんたが好きなやつ」

「──足りないな」

ルードは個室から出ながら答える。

「じゃあよ、外、出てみねえか？　すげえぞ、きっと」

「祭りだな」

勢いよく正面エントランスから飛び出した二人を迎えるように、ライフストリームが巻き起こす風が吹き付けた。続いてしなやかな鞭《むち》のような光の束が二人の眼前をすり抜ける。

「うひゃー！　今の、ライフストリームだよな！」

「レノ」

「なんだ？」

「最高だ」

＊　＊

「ツォン、レノ、ルード、イリーナ」ライフストリームが吹き荒れた翌朝、ルーファウスはタークスの四人に言った。「これから、どうするつもりだ」

「クビにされたおぼえはないぞ、と」

レノの言葉にツォンたちも同意してうなずく。

ルーファウスがタークスに与えた指示はふたつ。ミッドガルへ行き、状況を把握せよ。そして、仲間を募れ。

「社員だから仲間とは限らない。わかるな」

「わかるぞ、と。でも、仲間を集めてどうするんだ？　何をする？」

「今はとにかく情報が欲しい。少しでも多く」

肋骨の他に右足の踵《かかと》も折れていることがわかり、さらにむち打ちも発覚したルーファウスは車いすの世話になっていたが、それでも威厳を失ってはいなかった。

「ツォン」

「はい」

「もう懲りたと思っていたが——」

「神羅にしかできないことはたくさんありますから」

ツォンの言葉にルーファウスは満足そうにうなずいた。

「きっと楽しいぞ」


ほとんど休まずにミッドガルへ戻ったタークスの四人は二手に分かれた。ツォンとイリーナは情報収集を担当し、レノとルードは仲間を捜した。昨夜集結した仲間たちは、すでに各地へ散り、ミッドガル以外の情報をカームに送る手筈《てはず》になっていた。


「アバランチの連中が言ってたよな。神羅は星の敵だってよ」

レノが思い出したように言った。

「ああ」

「あれ、当たってたみてえだな」

「どうして」

「見ろよ——」

レノが言うとおり、ライフストリームは星をメテオから守りはしたが、神羅の城とも言えるミッドガルには罰を与えていた。完全に破壊されたわけではなかったが修復は困難だろう。生かさず殺さず、まるで期限を定めない処刑。加えて、メテオから星を救ったのが神羅カンパニーではなかったことを知った人々は、神羅を敵視するようになっていた。この困難な状況の責任は誰かに押しつけなければ気が済まないとでも言うように、人々は神羅の名を口にした。

二人は零番街の神羅ビル近くまで来ていた。そのあたりは特に被害が大きかったにも拘《かか》わらず、人が大勢集まっていた。皆、情報と、なんらかの援助を求めているようだった。

「笑えるぞ、と」

近くにいた避難者たちの会話を聞いて、レノは吐き捨てるように言った。人々は、諸悪の根源は神羅カンパニーだと断定しつつ、その神羅が、この状況を改善するはずだと期待していた。

「あの口、靴下詰め込んでやりてえ」

「やれよ。止めないぞ」

「替えがないぞ、と」

ツォンとイリーナはミッドガルの下層、六番街スラムのウォールマーケットにいた。そこは昔から、質はともかく情報が集まり易いエリアとしてタークスも時折利用していた。プレートや支柱から落ちてきた部材がそこかしこで無残な姿をさらしてはいたが、最初からそうだったと言われればそう思える――スラムとはそういう場所だった。以前と違うことと言えば、やはり人の数が減っていた。ミッドガルが倒壊するという噂《うわさ》が広まり、それを信じた人々がプレートの傘の外に避難した結果だった。

ここまで来る間に、ツォンたちも神羅カンパニーを非難する人々の声を聞いていた。タークスのスーツを見て、遠くから石を投げる者までいた。

「仕事、やりにくいですよね。着替えませんか？」

最初に見つけた店で適当な服――ツォンはコスタ・デル・ソルのようなリゾートが似合いそうな派手なシャツ、イリーナは小洒落《こじゃれ》たデザインのワンピース――に着替えてから、人が集まっていそうな居酒屋に入った。ほとんどのテーブルは客で埋まっていた。空いている席を見つけて向かい合って座った二人は、早速店内の観察を始める。ツォンは四人がけのテーブルを一人で占領している黒いシャツの男に目を止めた。

「寝てますね」

「そうだろうか――」

「ツォンさん？」

「なんだ」

「わたしがタークスに残ったのは、もちろん、タークスとしてのプライドもありますけど、でも、それより――」

上司への憧《あこが》れを隠したことがなかったイリーナだが、さすがに本人を前にしてそれを口にするのはためらわれた。

「しゃべり続けろ」

「え？」

「黙っているのは不自然だ。そういう無意味な話でいい。口を動かせ」

「無意味、ですか」

イリーナは溜息《ためいき》混じりに言うと、ツォンの顔を見た。ツォンは店に入った時から気にしている、眠っているように見える男を見つめていた。

「おかしい」

ツォンは立ち上がり、テーブルに突っ伏している男に近づき、声をかけた。

「大丈夫か?」

しかし答えはない。肩に手をかけて、揺すろうとした。ツォンは手のひらにベタリとした感触を覚えた。慌てて手を引いて確認すると、手のひらに黒い粘液がついていた。ツォンは改めて男を観察する。シャツの色が黒いので気づかなかったが、男の上半身は粘液で濡《ぬ》れていた。

「どうしたんですか?」

イリーナが近づいてきて聞いた。

「死んでいる」

レノとルードは神羅ビルの正面エントランスホールにいた。人の身体ほどもある大きな広告パネルの裏にレノが文章を書いていた。

「逃げたい奴は、駅から線路の上を歩いて下へ降りろ。列車の運行予定は無し。復旧時期未定。ここには物資はない。神羅カンパニーは臨時休業中、と」

カームの家は二階建てで、一階には打ち合わせに使えるリビングとダイニング、小さなキッチンと風呂、トイレがあった。二階には寝室が三部屋あり、ルーファウスはそのうちのひとつにいた。踵はギプスで固められていた。首と、胸から腹にかけてはコルセットで固定され、まだ車いすを使わずに移動することは難しかった。

ルーファウスは窓から町の様子を見ていた。閉じたカーテンを少し引いて隙間《すきま》を作ると、人でごった返す通りが見えた。カームの町もライフストリームの被害を受けていたが、住めなくなるほど破壊された家はなかった。その家々を求めて、ミッドガルからの避難民が来ているらしく、人の数にルーファウスは圧倒された。物心ついてから、ルーファウスはこれほど多くの人々と、護衛や取り巻き無しで接することはなかった。民衆の不安、焦燥と壁一枚しか隔てていないという事実はルーファウスを落ち着かない気分にした。しかもその壁は神羅ビルの装甲にも似た分厚い壁ではなく、一般住宅の薄いそれだった。ツォンは護衛に誰か置いていくと言い張ったがルーファウスは断っていた。無用な意地を張ってしまったとルーファウスは苦笑いをする。やがて思い直す。神羅ビルはおやじが作った要塞《ようさい》だった。言わば父の象徴。息子はいつか父親の家から出なくてはならない。そして自分の力でゼロから始める。普遍的な構図。自分にもその時が来たのだ。民衆を恐れている場合ではない。あそこに飛び込んで、成すべき事を成せ。成すべきこと——それは世界の復興以外にはありえない。

ドアチャイムが鳴った。一回鳴ってから、間をおいて二回。無視しているとさらに二回鳴った。打ち合わせとは違う。関係者ではない。やがて乱暴にドアをこじ開けようとする音が聞こえて来た。厄介なことにならなければいいがとルーファウスはベッドに向かって車いすを進め、枕《まくら》の下から短銃を取り出した。その銃を持ったまま、反対の手でガウンの袖《そで》を伸ばし、銃を隠した。それから窓際の椅子をドアの方へ向け、車いすから、苦労して移った。

ルードの腕は確かで、補強した玄関のドアはなかなか開かず、訪問者は諦めたようだった。しかしすぐに窓ガラスが割れる音がした。数人が室内に入って来たらしい。

「やれやれ」

ルーファウスは銃の安全装置を外した。


夕暮れ。ツォンとイリーナはカームへ向かって歩いていた。スラムで見た病気のことが主な話題だった。居酒屋で死んでいた男と同じ症状の者は相当数いるようだった。

「わたしが休んでいる間に何があったんだ？」

「ツォンさん、わたしもあんな病気、初めて見ました」

つまり、あの症状――病気と言うにはまだ何もわかっていない――は今日になってから、突然ミッドガルで猛威を振るいだしたということか、とツォンは思う。今日と昨日の違いはなんだ？　そう――ライフストリーム。ライフストリームは街を破壊しただけではなく、人間にも罰を与えたということだろうか。

「みんな冷静でいられるといいが」

「どうでしょうか」

イリーナは、居酒屋で死んでいる男のことを、他の客が知った時に起こったパニックを思い出した。最初は皆野次馬《やじうま》根性で男を見ようとしたが、誰かが「うつるぞ」と言った後は、我先に逃げ出す者たちで、店は混乱した。

ツォンたちに先行して、レノとルードは、まもなくカームというあたりを歩いていた。本当はヘリか車を使いたかったが、燃料が今後どうなるかわからないので、そうそう簡単に動かすわけにはいかなかった。

「明日は伍番街へ行くか」

「社宅行ってどうするんだ、と。ああ、社員が残ってるかもな」

「倉庫がある。車両と――武器を確保したい」

「武器ね。やっぱ、いるよな」

レノはミッドガルの疲れ切った人々の姿と、その中で燻《くすぶ》っているであろう不満を思って溜息をついた。


ルーファウスは数人の男たちに囲まれていた。

「社長さん、大変な目に遭ったようで」

リーダー格の髭面《ひげづら》の男が、ルーファウスに猟銃を突きつけて言った。

「ああ。しかし、今が一番恐ろしい。愚かな群衆ほど恐ろしいものはない」

ルーファウスは相手の血走った目を見つめて言った。おれは恨みつらみを聞かされたあげくに殺されるのだと先の見通しを立てていた。隠し持った銃で一人、二人倒したところで、全員――寝室には三人、階下にも何人かいる気配がしていた――は無理だろう。

「おれたちは愚かだが、誰がこの責任を取るべきかくらいは知っている」

「ほう。しかし、聞かせてくれ。この家を出た後、どうする？　先のことは考えているのか？」

「どういう意味だ」

「二種類の人間がいる。指示する者と従う者。これは資質の問題で、優劣の問題ではない。往々にして、事が起こった場合、責任を取らされるのは指示する側の人間だ。その結果、残された者たちは指針を失い、混乱が起こる。そして停滞、だ」

「素直じゃない命乞《いのちご》いだな」

相手はルーファウスに嘲笑《ちょうしょう》を浴びせる。

「おまえはここにいる何人かを率いているようだが、いつまでそれを続けるんだ？　彼らにどんな未来を見せることができる？」

「おれたちゃ愚かな群衆よ。今日を生き伸びることができればそれで満足だよ」

「おれたち、ではない。おまえの話だ」ルーファウスは部屋中の注目がこのリーダーに集まっているのを意識する。

「あんたには計画があると言うのか？」

別の男が聞いてきた。ルーファウスはその男の顔を見る。三十代。比較的裕福な身なりをしている。高級そうな紺のジャケットを着崩した、締まった身体の男。

「もちろん。まず住居の確保。カームはミッドガルからの避難民を収容しきれない。あなたはこの町の住人だと思うが――」

「そうだ」

「この町がミッドガルみたいになってもかまわないか？」

「――」男が想像を巡らせているのがわかる。

「避難してくる人を助けるのは当然のことじゃねえか！」

無視された、銃を持った男が割って入る。ルーファウスはすかさず答える。

「例えば、雨が降ったらどうする？　通りに溢れている者、続々とここへ逃げてくる者たちはどこへ？　なるほど、誰もが善意で家を提供するかもしれない。しかし、ミッドガルの人口を考えてみろ。とてもじゃないが収容しきれない。彼らの不満、不安、おまえは全て受け止める覚悟があるのか？　今日生きのびることで満足だろうと彼らに言えるのか？」

「うるせえ！」

男は怒鳴り声をあげる。ルーファウスは冷静に、見込み通りの男だと思う。軍の小隊長にしてやれば、立派な仕事をするだろう。しかし、中隊長は難しい。

「まあ、あんたの言うとおりかもしれない。それで社長、策は？」紺ジャケットの男がよく通る声で言った。この男が本当のリーダーなのかもしれないとルーファウスは思い直す。

「それを言うと、わたしの命はない」


カームに到着すると、レノとルードはすぐに町の様子が朝とは一変していることに気がついた。

「すげえ人だぞ、と」

その人通りは「家」の前の通りに出ても変わらなかった。そればかりか「家」に知らない人々が出入りしているのが見えた。

「社長！」

家の前に駆けつけてもすぐに中に入ることはできなかった。開け放たれた玄関から中を覗くと、グッタリした男女が床に座ったり、ある者は寝転んだりしている。

「病気だ」

ルードが言うとおり、二人がミッドガルで見てきたのと同じ症状——黒い液を包帯や衣服に滲《にじ》ませた——の人たちが大勢集まっていた。

「ルード、一階をたのむ」

レノは患者たちを踏みつけないように注意しながら二階への階段を上る。しかし、二階も同じ状況だった。レノは戸惑いながらもルーファウスの姿を探したが見つけることはできなかった。諦めて階下へ戻るとルードがいた。

「いない」

「マジかよ、と。とにかく相棒、外出るぞ。ここにいるとおれたちまで——」

レノは患者のひとりが自分を睨《にら》み付けていることに気づき、愛想笑いで応じると、ルードを押し出すように外へ出た。

そこへ丁度ツォンとイリーナが帰って来た。

「主任、家を乗っ取られたぞ」レノは手短に状況を説明した。

「とにかく、社長を捜そう。連れ去られたのかもしれない。事情を知っている者がいないか確認しなくてはな」

「家の中はわたしが行きます。先輩たち、すぐ脅しちゃいますからね」

イリーナはそう言って中へ入ろうとした。

「イリーナ。病気には気をつけろよ、と」

「先輩。うつるなら、もう、うつってますよ」

イリーナの言葉に、それもそうだとレノは納得した。

「さて」

ツォンはレノとルードに命令を下した。

「目撃者を探そう」

レノとルードは黙ってうなずくと町へ散っていった。


しばらくして戻ってきた三人は、神羅への怒りと不満を散々聞かされてげんなりした顔でツォンに報告をした。誰も目撃者はいない。

「こんな状況だ。仕方がないのかもな」

ツォンは、通りを運ばれていく自力で歩くことができない怪我人や病人を見やって言った。

「それに――」

もし目撃者がいても、自分たちに語るものはいないのかもしれないとツォンは思った。


カームの家から連れ出されてから二週間ほど過ぎたはずだと、ルーファウスは見当を付けていた。銃を奪われた後、薬を嗅《か》がされて、意識がないまま運ばれたために自分がどこにいるのかわからなかった。しかし、紺ジャケットの男――ミュッテンと名乗ったが、本名かどうかは怪しい――の別荘か何かだと考えていた。そしておそらく、ここは地下室だ。階上に大勢の人間がうごめく気配がする。その大勢が避難民だとすると、ここは別荘ではなく、カームなのかもしれない。しかし、同時にミュッテンの仲間たちが集っているとも考えられる。結論が出ない以上、タークスが自分を見つけ出すまで辛抱した方がいい。それにしても、とルーファウスは自分が監禁されている異様な部屋を見て思う。真っ赤な内装。豪華ではあるが、悪趣味な装飾——身体の一部がモンスター化した男女の姿——が施された家具。そして自分の足にはめられた足かせ。足かせには重い鎖が繋《つな》げられ、その先は壁に作り付けの頑丈そうなフックに固定されていた。このような、人を監禁するための部屋を持っているミュッテンの人物像を想像してルーファウスは悪寒を覚えた。そして、ただでさえ怪我で動けない自分を鎖で繋ぐ用心深さは、ルーファウスを不安にさせた。

行動の自由を奪った以外、ミュッテンはルーファウスを客人としてもてなすことに決めているようだった。この家に住み込んでいるらしい中年の女が食事をふくめた看護を丁寧にしてくれた。何を聞かれても答えないように命じられているらしく、話しかけても反応はなかった。

初老の医者が一度、様子を見に来た。医者は通り一遍の診察を終えると、薬を置いて帰っていった。監禁されている患者が神羅カンパニーの社長であることに気づいたのかどうか、伺い知ることはできなかった。人の出入りのタイミングを狙《ねら》って階上に聞こえるような声をあげることも考えたが、その後のことは想像がつかなかった。

数日に一度、ミュッテンが現れた。ミュッテンはルーファウスからミッドガル周辺の開発計画を聞き出そうとした。タークスが収集してくるであろう情報を元に計画を練ろうと思っていたが、連絡を取ることなど許されるはずもない。ルーファウスは情報不足を理由に、計画を小出しにしてミュッテンに聞かせた。まず、ミッドガルの東側に街を作る。東側が最も平坦で、作業が容易になるだろう。また、街作りのための資材はミッドガルにある廃材を活用する。切断や溶接に使う工具や小型の工作機械なら伍番街の倉庫にあるのでそれを使えばよい。

これは駆け引きだと思っていた。相手が自分から全てを聞き出したと思った時点で、自分の命は無い。おれは夜な夜な新しい話をしないと王に殺される吟遊詩人のようだと思い、ルーファウスは苦笑いをする。

「全部話したらどうだ？　殺しはしないさ」

「では足かせをはずしてくれ。逃げはしないさ」

互いに信頼しあえる日は永遠に来ないとルーファウスは思っていた。

情報はあるにはあったが、調べてみるといい加減な内容で、社長の行方は分からなかった。ツォンはしかし、ルーファウスを探すことを諦めなかった。避難民に占拠されたカームの家は捨て、ミッドガル伍番街の社宅を一軒、自分たちのオフィス代わりに使っていた。イリーナの発案で、ミッドガルが倒壊するかもしれないという噂を積極的に流した。多くの人々は噂を信じてミッドガルから出て行った。もし噂がなくても、ミッドガルは瓦礫と病気の巣窟《そうくつ》になり、遠からず無人になると思われたが、ツォンたちとしては、可能な限り早い時期に、ミッドガルを無人にしたかった。ミッドガルには神羅の秘密が数多くあり、特に各種兵器が民衆の手に渡ることは避けたかった。

「やばいぞ、と」

その情報を持ってきたのはレノだった。

「ジュノンに残っていた軍が来て、本社を占拠した。兵士は百人くらいだと思う。率いているのは、軍の将校で、ナントカゲイトって奴だ」

「目的は？」

「知らねえけど、なんか、集会を開く準備をしているみたいだ」

こうしてツォンとイリーナは本社ビルの様子を探りに出かけ、レノとルードは、いよいよ本格的に武器の確保に乗り出した。


伍番街は神羅の社宅が多く建ち並ぶ場所だが、魔晄炉周辺は許可を受けた者しか入ることができない倉庫街になっていた。周囲には高い塀が巡らされ、入り口は一カ所。大きく、頑丈な門があり、そこはパスキーが無ければ開くことはできない。しかも非常時には一定の地位以上の者しか知ることができない、非常用のパスキーに自動的に切り替わることになっていた。レノとルードはツォンから聞いたパスキーをブツブツと呟きながら、倉庫街の門へやって来た。しかし門はすでに開いていた。

「軍の奴らか？」

「ありえる」

二人は用心しながら、武器が納められている八番倉庫へ向かった。途中、四番倉庫の搬出口が開いているのが見えた。レノとルードは物陰に身を隠し状況を探った。

「おいおい、あれ、一般人だよな」

出入りする人間は老若男女、入り交じっていた。子供までいる。

「四番倉庫は——工作機械用だ」

ルードが言った通り、倉庫から、様々な小、中型工作機械が運び出されていた。子供たちはドリルなどの工具を持ち出している。

「何をするつもりだ」

レノがそう呟くのと同時に、五番倉庫の前から歓声が聞こえてきた。どうやら扉を開いたらしい。

「まずいぞ、レノ。五番倉庫は燃料の備蓄用だ」

「魔晄？」

「いや、軽油、ガソリン、非常用に作っていた。おれたちにも必要なものだ」

「やれやれだぞ、と」

レノとルードはなるべく穏便に事を済ませたいと思っていたので、五番倉庫の前に立ったときも声を荒げたりしなかった。

「神羅カンパニーの者だぞ、と——責任者はいるかな？」

「はい、わたしです」

姿を現したのは、若く、目鼻立ちの整った女だった。まだ少女と言ってもいい。

「お？」レノは言葉に詰まる。

「ここで何をしている」

ルードが低い声で聞くと、相手の顔に不安の色がよぎる。

「はい、街作りに必要な機材をここから持ってくるようにと――」

「誰に言われた?」

「軍のカイルゲイトさんです」

「門と倉庫のパスキーも、そのカイルゲイトから聞いたのか?」

「はい、そうです。あの、ダメなんでしょうか? わたしたち、神羅軍が会社から独立して街の復興を始めると聞いて、ボランティアで参加したんです」

不安げな若い女の視線を浴びて、レノとルードは顔を見合わせた。軍の意図は気になるが、この女たちは、純粋なボランティアに見えた。

「ま、この手のものなら問題ないぞ、と」

レノはルードが軽くうなずくのを確認してから言った。すかさず、ルードが付け加える。

「しかし、燃料はとりあえず必要な分だけにしてくれ。節約命」

「はい」

女は作業に戻っていった。レノとルードはボランティアたちが作業を終えて立ち去るまでずっと眺めていた。最後の一人が小型の発電機を台車に乗せて門から出ていくのを見送った。ボランティアたちは明るく、二人に礼を言って去っていった。

「ミッドガルの未来は明るいぞ、と」

「そうも言ってられない。さあ、やるぞ」

「何を?」

「おれたちの車両と武器、燃料を確保する。それから、パスキーを全部変える。門と倉庫、全部だ」

深夜になってから様子を見に来たツォンとイリーナが作業に加わったが、全てを終えるのに、翌朝までかかった。家に戻った四人は仮眠を取ることに決めたが、昼にならないうちに前触れもなく訪ねてきたヴェルドに起こされた。

「死んだオヤジに起こされるより驚いたぞ、と」

「タークスともあろう者がこんな時間まで寝ている方が驚きだ」

「また会えてうれしいって意味だ」

「――」ヴェルドはレノの笑顔に沈黙で答えると、ジュノンのカイルゲイト中尉に関する報告を始めた。「中尉は休暇中だったが、部下の兵士たちをミッドガルへ呼び寄せた。そして今朝、ミッドガルの東側で集会を開き、そこで演説をぶった。この地に新しい街を作るという内容だ。神羅のものと思われる機材が用意されていたが――」

「ヴェルド――さん」ツォンは、かつての上司をどう呼べばいいのか迷いながら言った。

「その情報は我々が入手した情報とも合致します。しかし、教えてください。あなたはどういう立場で我々にその情報をくれるのですか？」

レノとルードは顔を見合わせる。ツォンの質問の意図がわからなかった。ヴェルドはタークスの育ての親と言ってもいい。

「理由か――」ヴェルドが目を細めて言った。「贖罪《しょくざい》、あるいは恩返しではどうだ？」

「――情報はありがたく頂きます。しかし、贖罪も恩返しも必要はありません」

「なんだよ」レノが声を荒げて割り込んだ。「情報の理由とか、贖罪とかなんとかよ。どうでもいいじゃねえかよ。おれはもっと単純に――」

「単純に、なんだ？」

ツォンが先をうながすが、レノは黙り込んだままだった。その様子を見てヴェルドが言う。

「レノ。おまえたちタークスは、わたしの――」

ヴェルドも最後まで言わずに言葉を呑み込んでしまい、部屋は沈黙に包まれた。しかし、やがてレノが少年のようにこくりとうなずいてから、口を開く。

「機材は、昨日、ボランティアの連中が倉庫から運んでいた」

感情的になったことを恥じるかのように、いつになく事務的な口調だった。

「でも、中尉クラスはパスキーを知らないはずだ」

ルードが疑問を口にする。

「ルード、それこそが鍵だ。中尉はここ最近、休暇でカームにいた。そして、知るはずのない非常用パスキーを知っていた。誰から聞いた？　社長はどこから姿を消した？」

ヴェルドの言葉に一同は立ち上がる。ツォンはそれを制して、さらに聞いた。

「カイルゲイト中尉とはどんな男なのですか？」

ヴェルドはカイルゲイト中尉に関する情報を共有すべく、答えた。裕福な家の生まれで、両親はともに亡く、現在のカイルゲイト家当主。本来なら軍に入る必要はない身分だが、神羅の敵を倒し、世界に平和をと、もっともらしい理由を述べて志願した。兵士としては有能だが、性格に問題があると評価されている。

「加虐。残酷。訓練でも実戦でも、やりすぎが目立った。兵士たちの間では、合法的にその欲求を満たすために軍に入ったという噂さえある」

「なるほど――では、社長の居場所の見当はつきますか？」

「――カーム。カイルゲイト屋敷」

その言葉が終わらないうちに、レノ、ルード、イリーナの三人が部屋を出ようとした。しかし、レノが振り返り――

「他のタークスはどこだ？　みんながいれば心強いぞ、と」

「世界中に散って情報を集めることになっている――が、今では皆、それぞれの人生を歩んでいる。メテオの下に集まったのは、わたしと同じ気持ちがあったからだろう。しかし、これからのことは誰にも無理強いはできない」

ヴェルドの話を聞き終わったレノは不服そうな顔を見せたが、結局、黙って出ていった。

「あなたはこれからどうするおつもりですか？」

部下たちを追って部屋を出ようとしたツォンが、ヴェルドに聞いた。

「わたしはまたジュノンへ。リーブが向かっているらしい」

「それは――気になりますね」

「ああ。リーブに限らず、今回ばかりは関係者の行動が読めない」

「タークスだけは別です。おそらく、あの夜、集まった者たちも。皆、あなたの教えに忠実だ」

「つまり――読めない連中だ」ヴェルドはツォンに近づいてドアの前からよけさせると、先に部屋を出てから言った。「社長を頼んだぞ」

立ち去るヴェルドの後ろ姿を見つめながらツォンは呟いた。

「久しぶりに、見送って欲しかったのですが――」

ミュッテン・カイルゲイトは身動きできないルーファウスを三発殴った。

「知らないことは答えようがない」

「新しいパスキーを教えろ！」

「誰かが変えたのだろう。わたしは非常用のパスキーしか――」

ルーファウスが言い終えるのを待たず、またミュッテンは殴った。正しく、訓練された殴り方だった。

「なるほど、軍人か――」

「おれは何度もあんたの顔を見てるけどな。あんたにとっては、ただの兵士なんだろ？」

「――申し訳ない」

ルーファウスは素直に謝った。しかし、同時に思う。この家がミュッテンの所有物だとすれば、かなりの資産家か名のある家の子息ということになる。その場合、出世が早いのが通例で、ミュッテンの年齢だとルーファウスが顔を認識する程度には上にいるはずだった。社としては禁じていたが、現場では往々にしてそういうことがおこる。つまり――ミュッテンには何か昇進を妨げる問題がある。この悪趣味な部屋がその象徴かもしれないとルーファウスは思った。

「あんたには手下がいるだろう？」

ミュッテンは唐突に話題を変えた。手下という品のない言い方に、ミュッテンの浅い底が見えたとルーファウスは思う。

「どこにいる?」

「さあ。部下が留守の間にわたしはここへ運ばれた。つまり、我々は互いに居場所を知らない」

「なるほど」

ミュッテンは納得して見せたが、それでもまたルーファウスを殴ろうとした。その時、誰かが部屋の戸をノックした。

「なんだ?」

「お客様がいらっしゃいました」

世話係の女の声が答えた。

「客? 誰だ——まあ、いい。今行く」

ミュッテンは部屋を出ようとしてルーファウスを振り返った。

「新しい街作りが今朝から始まった。おれの手下とボランティアも大勢集まった。ミッドガルの東に集まった群衆は、そりゃあ圧巻だったぞ。楽しみだなあ、社長。おれの街ができるんだ。あんたにも見せてやりたいが、まあ、仕方がない」

後にエッジと呼ばれることになるその街を、ミュッテンが見ることはなかった。ルーファウスの部屋を出てしばらくしてから、男の怒声が聞こえた。聞き覚えのある声だった。やがて銃声と世話係の女の悲鳴が聞こえた。続いて何かが燃える臭いと音、大勢の人間が逃げ惑う悲鳴と騒音がした。

ルーファウスは座らされていた椅子から立ち上がろうとしたが、性急な動きに身体がついていかず、倒れ込んだ。肋骨が悲鳴を上げた。しかし、ルーファウスは冷静に周囲を見回す。ここが勝負所だと感じていた。部屋の外で叫ぶ野卑な声が聞こえる。

「社長！　どこだ！」

この声はカームの家で自分に銃を突きつけた男だとルーファウスは確信する。事情はわからないが、大方、仲間割れでもしたのだろう。いずれにせよ、自分を助けに来たわけではなさそうだ。さて、どうする？　ベッドの下に隠れることができそうな空間を見つけ、転がってそこへ移動する。

「――」

折れた骨が痛み、呻《うめ》き声が出そうになるが、下唇を噛んでこらえた。次はどうする？　足かせに繋がった鎖に相手が気づけば、自分の居場所などすぐに知られてしまう。ルーファウスは仰向けになってベッドの底を見た。金属製のフックがあり、そこには――用途を想像するだけでもおぞましい――棘《とげ》付の鞭が何本か収納されていた。ルーファウスはその中の一本を手に取り、皮のバンデージが巻かれた柄を握った。

「社長！」

ドアが乱暴に蹴破られ、男が入ってきた。ルーファウスの位置からは男のブーツしか見えない。男はベッドに近づいてくると、ルーファウスの足から伸びた鎖を見つけ、それを蹴り飛ばす。

「ふん、ベッドの下か」

来い。もっと近くへ。ルーファウスが意図したとおり、男は用心しながらもベッドに近づいてくる。ほら、覗き込め。顔を出せ。

しかし、ベッドの下に突き出されたのは、銀色に光る銃口だった。ルーファウスは咄嗟《とっさ》に銃身を左手で握り、ベッドへ押しつける。

「何をしやがる！」

銃声。左手の激痛。ルーファウスは銃身から手を放すと同時にベッドの下から男の方へ転がり出る。最早脇腹の痛みは感じない。転がった勢いで足のギブスを男の膝《ひざ》の下に叩き付ける。

「ぐえ」男は呻き声を上げて数歩下がる。ルーファウスは立ち上がると鞭を男めがけて振るった。鞭は男の腕を捕らえ、男は悲鳴をあげながら銃を落とす。銃は運良くルーファウスの近くに落ちてきた。素早く動いて、ルーファウスは銃を拾い上げ、男に向けた。

「勝負あったな」

しかし、部屋の中に煙が入り込んでくる。

「ばか社長め！　さあ、撃てよ。どうせおまえはもうすぐ火に巻かれて死ぬんだからな。その鎖、どうやって切る気だ？」

今はこの男に動いてもらうしかない。ルーファウスはきっかけを探した。

「ミュッテンを殺したのか？」

「ああ、やってやったぜ。幼なじみのおれをないがしろにしやがって」

「なるほど。それはミュッテンの落ち度だな」

「おれを手なずけようなんて考えるなよ。コケにされたこと、忘れちゃいねえからな」

因果応報か、とルーファウスは思う。この展開までは読み切れていなかった。その時、銃声が響き、男が倒れた。自分が無意識のうちに撃ったのかと銃を見た時、新たな客が部屋に入ってきた。

「社長〜！」

カームの町外れにあったカイルゲイト屋敷の前庭はミッドガルからの避難民で溢《あふ》れかえっていた。台所から火が出て、屋敷が焼け落ちた直後に、タークスの四人は到着した。

「社長――」

憔悴《しょうすい》しきった避難民の間でタークスは、ルーファウスの姿を探し求めていた。やがて情報が入る。

「燃えている屋敷の中から初老の男が、足と首をギプスで固めた白いスーツの男を運び出したそうです」

イリーナが心配そうな顔で言った。

「社長だな」ツォンが言う。

「初老の男って、誰だよ」レノが疑問を口にする。

「聞き込みだ」とルード。

「主任、話があるぞ、と」レノが目を細めて言った。「もっとタークスらしいやり方でいいか？どうせ神羅はどうしようもないくらい嫌われてる」

「許可する。しかし、復興ボランティアには手を出すな」

「なぜ？」

「街を作る計画は、おそらく、社長のアイディアだ」

それよりもほんの少し前。燃えるミュッテンの屋敷の地下で、初老の男がルーファウスに銃を突きつけながら言った。

「ルーファウス神羅さん。お加減は？」

男は、一度ルーファウスを診察した医者だった。

「あまり良くはない」

「では、銃を捨てた方がいい。それはあなたをさらに良くない状態へと導く」

互いに銃を持っている状況で医者が言ったその言葉は、ルーファウスを不安にさせた。

「ドクター。あなたが捨てるなら、わたしも手放そう」

医者はニヤリと笑ってから、銃口を改めてルーファウスの顔へ向ける。引き金にかかった指に力が入るのがわかった。ルーファウスは素早く銃を構え、医者の胸を狙って引き金を引いた。カチリと空しい音がした。

「神羅さん、あんたはその銃の持ち主のことを知らない。あいつはミュッテンを恨んでいた。汚い仕事はすべて自分にやらせて、おいしいところは全部持っていくとな。だから恨みを晴らすために、銃弾をほとんど使ってしまった。最後の一発はこの部屋から聞こえたが——」

ルーファウスは転がっている死体を見ながら溜息をついた。本当に後先のことを考えない奴だ。

「わたしはキルミスター。若い頃は神羅カンパニーで働いていた。まあ、宝条《ほうじょう》博士の助手の、さらにそのまた下だったがね」

宝条のスタッフ——いやな予感がした。

「さあ、銃を捨てて」

ルーファウスは素直に従うしかないと諦め、銃をキルミスターの足下に放《ほう》った。するとキルミスターは内ポケットからガラスの小瓶を出して突き出す。

「これをひと嗅ぎして、少しの間、意識を無くしていて欲しい。もし従ってくれない場合は、あんたを撃つ。わたしはあんたの力を借りたいと思っているから、殺しはしないが――かなり痛い思いをすることになる」

キルミスターはそう言って、小瓶をルーファウスに放った。それを受け取り、蓋を開くと臭いの記憶がよみがえった。カームの家でミュッテンに嗅がされた匂いだった。


気がつくと、トラックの荷台に載せられていた。乗客はルーファウス以外に九人いた。若い男が五人。同世代の女が四人。みな、同じように膝を抱えてグッタリとしている。それ以外にも共通点があった。最初は、汚れているだけだと思っていたが、よく見ると身体の露出部分に黒い染みのようなものが浮き出している。頭髪の中からも同様の粘液らしきものが滲《にじ》み出ていた。時々聞こえる呻き声から、相当の苦痛を抱えていることがわかった。となりにいた若い女がバランスを崩してルーファウスに寄りかかってきた。

「ごめんなさい」

「気にするな」

「あなたは――病気じゃないのね」女は苦しげに言った。「うつしたら――ごめんね」

ビルの最上階から滑り降りて骨を折り、その後は監禁と殴打、そして銃。今度は病気かと思うとルーファウスは苦笑いをするしかなかった。どんな病気であれ、これ以上は何も抱え込みたくないが、かと言って、このトラックの荷台ではどうしようもなかった。

悪路にも拘《かか》わらず、キルミスターは暴走と言ってもいいほどのスピードを出していたので、トラックは跳ねるように走った。ルーファウスはトラックから飛び降りるというアイディアについて考えていたが、力を借りたいと言ったキルミスターの言葉を思い出した。命を奪われるようなことはないだろう。このままどこかへ運ばれた方が、荒野の真ん中で身動きが取れなくなるよりはましかもしれない。


キルミスターがトラックを止めたのは海岸近くの、入り組んだ岩場に口を開けている洞窟《どうくつ》の前だった。ミュッテンの地下室に運ばれた時と同じく、意識を失っていた時間があったので、カームからどれくらい離れたのか見当がつかなかった。しかし海岸ということは――ルーファウスは頭の中に地図を思い浮かべた――遠くても車で三、四時間だろう。怪我がなければ徒歩で移動するのも不可能ではない距離だ。

キルミスターは銃を使って患者たちに指示を出した。そんなことをしなくても、患者たちに反乱を起こす気力はなさそうだった。ルーファウスは荷台で言葉を交わした女の力を借りてトラックから降りた。杖《つえ》がなかったので、洞窟までは女の肩を借りた。

「お互い、元気になりましょうね」と女は言った。まったくその通りだとルーファウスは思った。

洞窟は、入ってすぐに大きく落ち込んでいた。九十度に近い断層にかけられた五メートルほどのハシゴを苦労して下りると、ルーファウスは、むち打ちで痛む首を無理矢理ひねって上を見た。このハシゴを外されれば壁面を登ることは不可能だろう。全員が下に降りると、案の定、キルミスターはハシゴを引き上げてしまった。

「中は幾つかの通路に別れている。それぞれ、すぐに行き止まりになっている。気に入った行き止まりを見つけたら、そこを自分の部屋にするといい」

「治療はどうするんですか?」若い男が言った。

「呼ばれたらここへ来てくれ。悪いようにはしない」

キルミスターは平然と答え、姿を消した。

驚いたことに洞窟の中には人数分の簡易ベッドや、病院用らしい寝間着などが用意されていた。患者たちはそれを、それぞれの「気に入った行き止まり」へ運び、自分の寝床を確保した。ルーファウスは半ば習慣的に誰よりも奥を選んだ。やがて症状が軽そうな青年が食事――パンとチーズ、そして水を運んで回った。

「みんな、銃で脅されて連れてこられたのか?」とルーファウスは聞いた。

「いいや。おれたちはみんな子供の頃からキルミスターさんの患者さ。あの人はカームの町医者だからね。だから、この病気を治してやるって言われた時もいつもと同じように信じたし、おれと、あと何人かでこの病院へ荷物を運ぶのも手伝ったよ」

「病院?」

「ああ。おれたちは隔離される必要がある。町にいても、そのうち追い出されるって――」青年は一瞬困ったような顔をしてから続けた。「銃を使ったのは、あんたが逃げ出さないためだってさ」

「わたしも患者なのだが――信用がないな。ところで、ここはどこだ?」

「あんたには言うなと口止めされている」

この滞在も、あまり楽しいことにはならなさそうだとルーファウスは思った。


ある日、ルーファウスもキルミスターの治療を受けた。入り口近くの断層の下に診察室のつもりか、簡単な仕切りが作られていた。ルーファウスのギプスを交換するキルミスターの後ろに、あの、パンを運んできた青年が立っていた。銃を構えていた。

「先生。病気の治療は進んでいるのか?」

「もちろんだとも」

しかし、キルミスターがちらりと青年の方を見たことをルーファウスは見逃さなかった。

「目的は、なんだ?」

「そりゃあ、あんた。わたしは医者だ。この世界からあの病気を無くしたい」

「それは――立派なことだ。だが、わたしを連れてきた目的は?」

「ジェノバ」

「なに?」

ルーファウスは予期していなかった名前を聞いて思わず大声を出してしまう。

「患者と、かつて調べたソルジャーの身体――細胞レベルの話だが、幾つか類似点がある」

「詳しく聞かせてくれ」

ルーファウスがそう言うと、キルミスターはまたちらりと青年の方を見た。

「そのうちな」

それだけ言うとキルミスターは黙り込み、黙々と作業を続けた。

「ひとつだけ教えてくれ。うつるのか？」

「それも、そのうち」

うつらないのだ、とルーファウスは思った。


三ヵ月が過ぎた。肋骨を固定していたコルセットはすでにはずれており、ついに踵を覆っていたギプスがはずされた日、キルミスターはルーファウスに杖を渡した。

「神羅ビルのどこかに使われていたパイプだ」

「ミッドガルはどんな様子だ？」

「病気は相変わらずだ。患者は増えているかもしれないな。ああ、わたしが言っているのは東側に作られつつある新しい街の話だが。みんな熱心に働いている」

ルーファウスはいつかミュッテンに話した計画を思い浮かべた。

「誰かが指揮をしているのか？」

「さあ。グループが幾つかあるようだが——ところで社長。神羅カンパニーの殺し屋の話は知っているか？」

ルーファウスは首を横に振って先を促した。

「本社ビルや倉庫に忍び込んだ者のところに手紙が届くそうだ。もう一度やったら命はないという内容だ。皆、居場所を知られていることが怖くて、もう二度とやらない」

タークスの連中め、とルーファウスは思わず微笑んだ。

「社長。もう少し先の話になるが、わたしは神羅が持っている機材が欲しい。殺し屋に話をつけてくれないか？」

「何が欲しいんだ」ルーファウスは警戒心を隠してさり気なく聞こえるように言った。

「宝条博士が使っていた各種装置」

「治療に使うんだろうな」

キルミスターはニヤリと笑う。一瞬、宝条博士の不気味な笑顔が頭に浮かんだ。

「もちろん。それから、いつか話した例の――」

「ジェノバ」

「そう。今どこに？」

「さあな。ここから出られたら探しようもあるが――」

キルミスターは値踏みするようにルーファウスを見る。

「では、新しい場所を見つけなくては。ここは研究に適しているとは言えない」

研究――

「キルミスター先生。あなたは医者か？　それとも科学者か？」

沈黙。

「さあ、治療は終わりだ」

キルミスターは白衣の下に隠していた銃をルーファウスに突きつけて言った。

それからゆっくり時間をかけて、ルーファウスは歩行の練習をした。むち打ちのせいで時折具合が悪くなったが、やがて洞窟の中を自由に歩き回れるようになった。改めて、個々の「部屋」を覗いてみる。無人の部屋が幾つもあった。最初のうちに食事を運んでいた青年はすでに死んでいた。数えてみると、男は三人。女は二人。すでに四人死んでいることになる。

ある部屋で、苦しげな呻き声をあげる女を見た。この洞窟へ来る時に言葉を交わした女だった。その女を心配そうに看病している男がいた。男はルーファウスに気づくと――

「薬が残り少ないから減らすって先生が――ぼくのぶんをあげたんですけど、もう切れちゃったみたいで」

ルーファウスにできることは何もなさそうだった。いや――と、ルーファウスは断層の下へ行くとキルミスターを呼んだ。やがて、憂鬱《ゆううつ》そうな顔をした白衣の男が顔を出した。

「薬がないと聞いたが――」

「ああ。わたしが持っていたぶんは間もなくなくなる」

「持っていた？」

この、初めて見る病気の治療薬を以前から持っていたという意味だろうか？

「ちょっと待っていてくれ」

そう言って姿を消したキルミスターは、すぐに戻ってくると、ハシゴを降ろした。

「登ってこられるか？」

ルーファウスは脱出のチャンスが来たのか、と考えを巡らせながらハシゴに手をかけた。慎重に登り、やがてもうすぐ断層の上に届くというところで、キルミスターの銃が突き付けられた。

「そこまでだ。そこで聞け」

間近で見るキルミスターは青白い顔に汗を滲ませていた。

「具合が悪そうだな、先生」

「薬が欲しい」

「誰の薬だ」

「とりあえず、わたしのぶんが欲しい」

キルミスターの説明によると、患者たちには、神羅が兵士に配っていた興奮剤を薄めたものを与えていたらしい。

「病気を消し去る効果はないが、痛みを抑えることができる」

「それが治療の正体か」

「患者を騙しているわけではない。まず原因を探る。それまでは対症療法しかない」

「先生も病気なのか？」

「いや――」

希釈した興奮剤を飲むと夜も仕事ができるようになるのだ、とキルミスターは言った。

「ただし、中毒性があるな、あれは」

ルーファウスは呆《あき》れると同時に、キルミスターをコントロールする手段を手に入れられるかもしれないとほくそ笑んだ。

「電話を持っているか？　または、紙とペンを」

「誰に連絡を取るつもりだ」

「神羅の殺し屋だ。興奮剤のストックの場所を知っている」

キルミスターは目を輝かせたが、それでも事を慎重に運ぼうと、ルーファウスにハシゴから降りるように命じた。しばらくしてから、紙とペンを上から放り投げてよこした。

ルーファウスは手紙に、薬の調達を依頼する以外の余計なことは書かなかった。キルミスターの信用を得ることがもっとも重要だ。あとはタークスがうまくやってくれるだろう。


しかし、手紙を持ってミッドガルへ行ったキルミスターは、なかなか帰ってこなかった。タークスも来ない。まとめて配られた食料も残り少なかった。キルミスターには、神羅ビルへ行き、殺し屋――タークスの連中を呼び出して手紙を渡すように伝えておいた。三日もあれば薬を持って戻ってくるはずだと予想していた。もちろん、医者を尾行したタークスも一緒に。しかし、かれこれ一週間が過ぎようとしている。

ルーファウスはすっかり習慣になってしまった洞窟内の見回りで、有り余る時間をやり過ごしていた。あの女はかなり厳しい状態にあるらしく、意識も混濁しているようだった。女の面倒を見ていた男も痛みに呻《うめ》いていたが、それでも女の手を握りしめ、奇跡が起こるのを待っていた。

「もうすぐ、キルミスターが戻るはずだ」

ルーファウスは根拠の無い言葉を二人にかけてから思う。おれの中の何がそんなことを言わせたのだ、と。

それは突然起こった。外で雨が降り続いていることには気づいていたが、洞窟の中にまで水が入ってくるとは思っていなかった。しかも、入り口ではなく、ルーファウスが自分の部屋として使っている場所の、天井部分から水が入り込んで来ている。無数の小穴が空いているらしく、たくさんの蛇口がついているかのように幾筋もの水が落ちてくる。これまでにも雨は降ったはずなのになぜ突然こんなことになったのだろうか。おそらく、この洞窟一帯が、降り続いた雨のせいで冠水してしまったのではないか、とルーファウスは考えた。とりあえず脱出しなくてはならない。ルーファウスは道々で声をかけながら洞窟の入り口へ向かった。

まだあまり調子が良いとは言えない首を上に向けるが人の気配はない。ただ強い雨が降っている音が聞こえる。ルーファウスは周囲を見回す。奥からの浸水が、もし、この空間を満たすほどの量になれば——それまでなんとか泳いでいれば、あの断崖《だんがい》の上へ移動できる。

「少なくとも、おれは——」

ルーファウスは奥へ戻り、患者たちに避難の準備をするように告げて回った。この一週間、鎮痛剤代わりの興奮剤をもらっていない患者たちは、じっと苦痛に耐えているらしく、返事はない。

「五人か——」

ルーファウスはそう呟くと、意を決して、一番奥の患者から入り口近くの空間へ運び出した。

皆、哀れなほど体重が軽くなっていたので、体力に問題を抱えたルーファウスでもなんとか運ぶことができた。

水はすでに踝《くるぶし》まで増えていた。ルーファウスは浮き輪代わりになりそうなものを探して回った。幾つかの木製のベッドが水に浮いて流れ出していた。組み立て式ベッドの金具をはずして解体し、木枠だけを入り口方向へ押し出す。水の流れに乗って、意外なほどのスピードで動きだした木片を追いかけ、患者たちのところへ戻る。

「泳げる者は泳げ。無理ならこれにつかまれ。一人一本だ」

数時間後、水はルーファウスの顎《あご》のあたりまで増えていた。患者たちの中には、もう木片無しでは立っていられない者もいた。やれることはやった——ルーファウスは、もう何も考えまいとして断崖の上を見つめ続けた。やがてルーファウスも木片に摑《つか》まって浮き上がった。さらに時間が過ぎ、あと一メートルも増水すれば断崖の上に手が届く、というところで状況が変わった。水が止まったらしい。雨がやんだのか、地形の問題か——ルーファウスは唇を噛んだ。もう助けを待つしかない。振り返ると患者が減っている。男二、女一。女は、あの女だった。二本まとめた木片に男と一緒に摑まっている。もう死んでいるのかもしれないと思った時、女の顔が苦痛に歪《ゆが》んだ。ルーファウスは何故《なぜ》かほっとした。

しかし、数時間が過ぎても状況は何も変わらなかった。水は増えも減りもしない。水に浸かった身体からは、すっかり体温が奪われているのがわかった。ルーファウスは、いよいよかと思った。

「なんだ?」

ルーファウスは誰かに話しかけられたような気がした。しかし、そんな力が残っている者はもういない。注意深く周囲を観察すると、水面を何かがうごめいている気配がした。黒い物がゆっくりルーファウスに近づいてくる。患者から流れ出したあの粘液だろうかと目を凝《こ》らす。しかしそれは意志があるもののように移動していた。ルーファウスは恐怖を覚える。近づいてきた黒い液体を、身体の周囲の水を押しのけて、追い払おうとした。しかし、それは水流とは関係なく迫ってくる。やがて、ルーファウスに取りつき、着ていた白いスーツを黒く染めた。スーツはすでに汚れて白とは言えなかったが、いつでも脱出できるように、起きている間は着ることにしていた。黒く染まった袖口を見た時、ルーファウスは思った。

——もう、終わりだ。

黒い液体が首筋を這《は》うように顔まで上ってくる。口に入り込もうとしているのがわかる。しかしルーファウスは固く口を閉じて拒否した。すると、今度は鼻だ。手で鼻をつまむ。これでは息ができないが、窒息した方がましだと思った。しかし、やがて耳に——ルーファウスは悲鳴だけはあげまい、と思ったまま意識を失った。

「社長、社長」

誰かが呼ぶ声にルーファウスは目を覚ます。

「洪水とはまいったな。いや、遅くなった」

キルミスターがハシゴを水中に降ろしながら言った。ルーファウスはまだ生きていたことを不思議に思いながら、ゆっくりとハシゴに摑まろうとして思い出す。振り返ると、患者は二本の木片に掴まっている男女だけになっていた。

「おい、大丈夫か」

男が顔を上げた。

「助けが来たぞ」

男は惚《ほう》けたような顔でルーファウスを見て、やがて状況を理解した。慌てて女を見て声をかけた。女はかすかに頭を振って応える。ルーファウスは手を貸そうと女に手を伸ばした。その時、頭上から銃声が響いた。女ははじかれたように木片から離れ、静かに水中に沈んで行く。

「パメラ！」

男はそう叫ぶと、木片を放し、女を追った。しかし、泳ぐ力は残っていないようだった。ルーファウスは木片を頼りに、男のそばへ移動し、腕を掴んだ。

「パメラ――」

男は悲しげに叫ぶが、もう体力は残っていなかった。ルーファウスに腕を引かれるままにハシゴに近づいた。

「登れ」

「でも――」

「生き残ることだけを考えろ」

男はしばらくパメラ――ルーファウスは女の名をそれまで知らなかったことに気づいた――が沈んで行ったあたりを見つめていたが、やがて顔を上げてキルミスターを睨み付けた。

「もうどうしようもなかった。楽にしてやったんだ。パメラもわたしを恨みはしないさ」

パメラはともかく、この男はどうだろうなとルーファウスは思った。男は思い詰めた顔をしてハシゴを登り始めた。

「名前は?」

ルーファウスは男に声をかける。

「ジャッド」

「ジャッド、今はダメだ。キルミスターはわたしにまかせろ」

ジャッドは返事をせずにハシゴを登り切った。続いてルーファウスも登った。あと一段上れば懐かしい地上だと思った時、全身を激痛が襲った。口の端から何かが流れ出るのがわかった。手でそれをぬぐうと、パメラやジャッドと同じ、あの黒い粘液がついていた。

「おやおや、社長。あんたも興奮剤の世話にならなくちゃ」

キルミスターはいかにも楽しそうに言った。

「うっ!」

キルミスターの苦悶《くもん》が上から聞こえ、続いて銃が落ちて水中に沈んで行った。ルーファウスは痛みに耐えながら顔を上げた。キルミスターの歪んだ顔が見える。後ろから誰かが首を絞めているのがわかる。ジャッドめ。今はダメだと言ったのに。

「く――」

すぐにジャッドの苦悶に満ちた短い声が聞こえた。ルーファウスは安堵《あんど》のあまりハシゴに摑まった手の力が抜けるのをなんとかこらえながら、渾身《こんしん》の力を振り絞って怒鳴った。

「遅い!」

「悪かったぞ、と」

クリフ・リゾートは神羅カンパニーの黎明《れいめい》期に社員用の保養所として開発された場所だった。しかし、人々は山中よりも海辺での休日を好んだので、いつしか廃れてしまっていた。幾つかのロッジが当時のままの状態で残っていた。二台の車両に分乗してルーファウス、ツォン、イリーナ、レノ、ルード、そしてキルミスターとジャッドが到着した時には、すでにそこには大勢の患者たちが集められていた。大部分はタークスがカームから運んだキルミスターの患者たちだった。不審そうにその様子を見ていたルーファウスにツォンが説明する。

一週間ほど前、キルミスターが神羅ビルに現れ、大声でタークスを呼んだ。その時、見張りについていたのはレノとルードの二人だった。キルミスターはルーファウス神羅からの手紙を預かっていると言った。絶えて久しかった社長の情報が得られると、レノたちは隠れていた場所から出て、キルミスターと接触した。手紙には、興奮剤をあるだけこの医者に渡せ、と書いてあったが意味が分からず、さらに、本当にルーファウスが書いたものか疑わしかったので、翌日またここへ来るようにとキルミスターを帰した。そのままルードは伍番街の「オフィス」へツォンと相談するために戻り、レノはキルミスターを尾行した。

ツォンは、手紙にあるのは社長の字とサインだと思ったが、確信は持てなかった。しかし、とりあえず興奮剤を渡して後を付けようという結論に達した。

レノは、キルミスターを尾行してカームへ行った。カームには、かれこれ半年以上医者が不在で、避難民に解放されたままになっていた小さな病院があった。キルミスターはそこの医師だった。患者たちは医師の帰還を喜び、さっそく治療を求めた。レノが窓から覗くと、キルミスターは不機嫌そうに患者を診ていた。キルミスター自身も具合が良くないのだとレノは考えた。

翌日、神羅ビルのエントランスホールに現れたキルミスターは、積み上げられた興奮剤の箱を確認すると蓋を破って開き、用意していた水筒の水で薄めて飲み始めた。唖然としているタークスを無視して床に座り込むと、薬が回るまで待てと言って横になってしまった。社長に繋がると思われる情報を持っている唯一の男だったので、タークスは辛抱強く待った。

やがて顔色と機嫌を良くしたキルミスターは、箱をミッドガルの下まで運ぶようにタークスに依頼した。さらに——明らかに調子に乗って——どこか適当な施設は無いだろうかとツォンに聞いてきた。条件は、人里離れてはいるが、それほど遠くはなく、患者たちが大勢暮らせるところ。そんな場所で自分は病気の研究をして世の中に貢献したいのだ、とキルミスターは言った。さらに、自分は信用されていないと自覚したのか、キルミスターはルーファウスの様子を事細かに語り始めた。怪我を負った箇所を正確に言い当てたことでタークスはやっとキルミスターを信じた。さらに、ミュッテンの屋敷から連れ出して保護したのは自分であり、神羅カンパニーはその行為に感謝すべきであるとも言った。なぜこれまで黙っていたのかと聞くと、キルミスターは、社長を手なずけたかったたと笑った。

ツォンは、すぐにこのクリフ・リゾートのことを思い出し、キルミスターを案内した。医者は満足したらしく、ここに患者たちを運べと命じた。薬物中毒になるような医者に命令されるのは腹が立ったが、準備ができないと社長の居場所は教えない、とキルミスターは譲らず、従うしかなかった。タークスはカームとクリフ・リゾートを何往復もして、医者の希望を叶えてやった。まるで自分の部下のようにタークスを動かしたキルミスターは、やがて満足したのか、ついに、社長のもとへ案内すると言った。

　洞窟への到着がキルミスターより少し遅れたのは、降り続いた大雨と洪水のせいで、レノが、先行する医者のトラックを見失ったせいだった。案内無しで洞窟に辿り着いたのはおれの冴《さ》えた勘のおかげだと、失敗を帳消しにしてくれと言わんばかりにレノは主張した。

　ルーファウスは患者の一人としてクリフ・リゾートで過ごした。治療といっても、薄めた興奮剤を与えられるだけだったが、確かにそれで痛みは治まった。熱もなく、調子が良い時は、交代で付き従っているタークスの誰かから情報を仕入れ、今後の活動方針を検討した。

「新しい街の中心には何があるんだ？」

　ある日、ルーファウスは思い出したようにレノに訊ねた。

「うーん――広場だな。何もない丸い広場。ミッドガルからまっすぐ道路が延びて、その広場から四方八方に街が広がっている。だから、その広場が街の真ん中だ」

「では、広場の中心に何か造れ。そう、記念碑のようなものがいい」

「何の記念だ？」

「表向きは――星がメテオを撃退したことを記念して」

「表向きって、本当は？」

「場所取りだ」
「街の真ん中は神羅の場所ってことだな！　それ最高だぞ、と」

神羅カンパニーは相変わらず責任を問われてはいたが、資材や機材、燃料や薬品の提供を行っていたおかげで一定の信頼を得ていた。街の建設には元神羅カンパニー幹部のリーブがジュノンから運び込んだ作業機械や人員が大きく貢献していた。そのリーブは、反神羅路線を明確に打ち出していたが、タークスと、ヴェルドが集めた元社員たちの活動を、それが社会に貢献する活動である限り、邪魔しようとはしなかった。
レノはボランティアの協力を得て、記念碑の建造を始めた。広場の中心に何かのシンボルが欲しいと思っていた人々は、喜んで作業に参加した。中には、その事業が神羅の計画であることを知って、騒ぐ者もいたが、そんな相手には、レノは「タークスらしいやり方」を用いて、問題を解決した。

クリフ・リゾートでは、患者の増減はあったが、保養地らしい静かな日々が続いていた。しかしある日、騒動が持ち上がった。このペースで行けば、ほどなく興奮剤が底をつくとキルミスターが騒ぎだしたのだ。すっかり街になじんでいたイリーナが、街の患者たちにも薬を分けるべきだと提案し、ルーファウスがそれを許可したことで、倉庫の興奮剤はほとんど残っていなかった。ルーファウスは、タークスに命じて、薬学の知識を持っている者を集めて、興奮剤――名前を変える必要はあったが――を製造する準備を整えさせることにした。神羅の施設を活用し、必要であればリーブと連絡を取り合えばよいとも考えていた。しかし、キルミスターは納得しなかった。クリフ・リゾートで必要な分は先に確保すべきだと主張したのだ。この中毒者め、とツォンたちは呆れたが、ルーファウスは何故かキルミスターには寛大だった。興奮剤はニビ熊の尾が原料で、しかも、興奮剤ほど濃度が高くなければ、一頭の尾から、かなりの量を製造することができるとわかり、イリーナは早速、原料の調達に出かけていった。


「なあ、ルード」

珍しく、レノが困惑した顔でルードに話しかけた。

「社長はどうしてキルミスターを甘やかすんだ？」

「研究の結果が出るのを待っている。おれはそう思う」

「研究かよ。痛み止めをばらまくだけなら、おれでもできるぞ」

レノは吐き捨てるように言った。

「おれも細胞を提供した。健康な者代表だ。いつか何かわかるんだろう」

「おれも調べてもらいたいぞ。こんだけ患者に囲まれてるのになんでもない。変だろ？」

「うつらないと社長は言っていた」

まだ半信半疑の顔をしているレノの腹をルードは軽く殴った。

「相棒、久しぶりにトレーニングをしないか？」

「なんで」

「心と体。両方がしっかりしていれば病気にはならない」

「じじくさいこと言うんじゃねえぞ、と」

しかし、レノも応戦の構えを見せ、やがて二人のトレーニングが始まった。

悪ガキども——年かさの患者たちはクリフ・リゾートで暮らすルーファウスとその取り巻きを総称して、そう呼んでいた。あいつらの結束の強さは、わけがわからないとある者は言った。このような状況でも、社長と部下という関係を崩さず、組織として行動する理由は、当人たちにもわかっていなかった。部外者からは、まるで会社ごっこをしている子供のようにも見えた。家に帰ってしまえば楽しいことなど何もないとでもいうように、あるいは、家のない子供のように、彼らは懸命に遊んでいるように見えた。

あの日、運命の日から二年近くが過ぎた夜、ルーファウスはキルミスターの部屋を訪ねた。

「どうだろう、先生。そろそろ研究の成果を話してくれないか？　わたしとしては、病気とジェノバの関係が最も気になるところだ」

「いいだろう。まず、治療方法に関しては二年前からまったく進歩していない」

自家製の興奮剤で機嫌を良くしていたキルミスターは、まるでとっておきの冗談を聞かせるかのように言った。ルーファウスは表情ひとつ動かさずに聞いていた。

「しかし、病気の原因はだいたいわかっているぞ」

まず、最初の患者はライフストリームを直接浴びた者だ、とキルミスターは言った。これは患者自身への聞き取り調査で早い段階でわかっていたことだ、と得意気に続ける。

「その後に発症した患者にも共通点がある。思い悩んでいたり、例えば死を受け入れようとしたり——社長、あんたにも身に覚えがあるだろう？」

確かに、とルーファウスは思う。

「あんなことがあった後だからな、誰もが未来を思い悩み、死を身近に感じていたはずだ。それで患者が爆発的に増えた。さらに——」

黒い水、とキルミスターが言った。ルーファウスは洞窟で体験した、洪水の時に漂っていた、意志を持った水のことを思い出す。

「後発組の患者の中には、黒く染まった水を見たものが多い。何も気づいていない者でも、もしかしたら、知らないうちに浴びたか、飲んだかした可能性が高いとわたしは思っている。何しろ相手は水だ。その気になれば、どこへでも入り込むことができる」

「その気になればとは？」

ルーファウスはキルミスターの言い方が気になった。

「患者たちの痛みや熱は、身体が体内に入り込んだ異物と戦っている証拠だ。他の病気に比べると、かなり過剰だと思うが、相手が相手だから仕方がない」

「相手の正体はわかっているのか？」

「——セフィロス因子、あるいはジェノバの遺伝子、いや遺伝思念とでも呼ぶべきか——いつか話した通り、ソルジャーの心身に見られる特徴と、かなり似ている」

ルーファウスは唐突に登場した——実際のところは、黒い水に囲まれた時に漠然と思い浮かべていた——セフィロスの名前に身を固くした。

「社長。わたしはジェノバを調べたい。あれはいったいどこにある？」

ルーファウスの様子を気にすることもなくキルミスターが言った。

「残念ながら、わたしも所在を知らない」

「部下に探させてくれ」

「考えておく」

「早い決断を頼むよ」

ルーファウスはうなずいて、部屋を出ようとキルミスターに背を向けた。相変わらず上機嫌なキルミスターはその背中に向かって声をかける。

「昔、わたしが出したプロジェクト案は宝条博士に却下されてね。あれを今になって試すことができるなんて、うずうずするよ。セフィロス以上のモノを作ることができると思うんだ」

「治療法は？」

ルーファウスは背を向けたまま聞いた。

「すでに症状が出ている患者は諦めるしかないな。だが、まだ健康な者は、心に薄暗い部分を作らなければ大丈夫。公表してもいいが、水の話はするなよ。パニックが起こるぞ」

患者であるルーファウスは何も言わずにキルミスターの部屋を出た。

翌日の朝、キルミスターは死体で発見された。銃で撃たれていた。死体を調べていたツォンのもとに、ジャッドという若者が現れて、自分がやったと言った。

「銃はどこで手に入れたんだ？」

「言えません——口止めされたわけではありませんが、恩人なので」

キルミスターとジャッドのことを報告したツォンに、ルーファウスは、そうかと答えただけだった。そして——

「ツォン、聞いてくれ」

「はい」

「神羅カンパニーはジェノバを見つけ出し、確保する」

「——はい」

「我々の目的は、ジェノバを誰にも渡さないことだ。狂った科学者や——」

ルーファウスはキルミスターの言葉を思い出す。

「ライフストリームでうごめく亡霊にも」

「はい。早速準備を整えます」

レノとルードがクリフ・リゾートの看板を塗り替えていた。

「ヒーリンってどんな意味だよ」

「世界を癒《いや》してやるのだ」

いつの間にか後ろに立っていたルーファウスの声に二人は振り返った。

「まあ、やり方は乱暴かもしれないが——我々は神羅カンパニーだ。多少のことでは誰も驚かないだろう」

ルーファウスの声は何故か弾んでいた。

女はクラウドに危機を伝える方法を考えていた。考えているうちに、自分がクラウドに伝えることができなかった思いの数々が鮮明に蘇《よみがえ》った。女には、クラウドに伝えたいことがたくさんあった。しかし、何をどう伝えるべきかわからなかった。悩むのは久しぶりだった。結局、女は、まずクラウドに会ってからどうするか考えようと思った。

女はやがて、憎しみをばらまくあの男も、地上に姿を現そうとしていることを知った。どうやるつもりだろうと女は思う。女は勇気を振り絞り、男の精神に接近した。男は気づき、女を追いかけたが、すぐにやめてしまった。おまえには何もできないと男が嘲《あざ》笑うのがわかった。女はしかし、男の思惑を読み取った。男はまず、自分の代わりに別の存在を使うようだ。女は自分にも同じことができるだろうかと考えた。しかし、やがて思い直した。もし、可能だったとしても、わたしは、クラウドが知っているわたしのままで会いたい、と。

野島　一成 Nojima Kazushige

1964年1月生まれ。札幌市出身。水瓶座。ゲームシナリオを中心に幅広く活躍するストーリーテラー、ゲームクリエーター。代表作は『ファイナルファンタジーⅦ』『ファイナルファンタジーⅦ ADVENT CHILDREN』『ファイナルファンタジーⅦ CRISIS CORE』『ファイナルファンタジーⅩ』『ファイナルファンタジーⅩ-2』『キングダムハーツ』『キングダムハーツⅡ』(すべてメインシナリオ) etc.

On the Way to a Smile FINAL FANTASY VII
2009年5月7日　初版第1刷発行
2024年7月9日　初版第13刷発行

著者　野島一成

カバー・表紙・本文デザイン
株式会社ウァン
神田奈保子

協力・監修
株式会社スクウェア・エニックス
COMPILATION of FFⅦ　開発・宣伝スタッフ

発行人　松浦克義
発行所　株式会社スクウェア・エニックス
〒160-8430　東京都新宿区新宿6-27-30
新宿イーストサイドスクエア

印刷所　TOPPAN株式会社

<お問い合わせ>
スクウェア・エニックス　サポートセンター
https://sqex.to/PUB

ISBN978-4-7575-2462-0 C0293